JN096331

これで合格

公務員合格ゼミ

学校法人 公務員ゼミナール
大林　朗 編著

判断推理
（課題処理）

いいずな書店

まえがき

　昨今、働きがいのある職業として、また安定した職業として公務員が脚光を浴びています。特に、若者の非正規雇用の増加や格差の拡大が進行するなかで、自らの努力によってその身分が得られる公務員の人気は根強いものがあります。しかし一方、公務員の人員削減が進行する中で、その門はやはり狭いと言わざるを得ません。

　では、そのような難関をくぐり抜けるには、どのような勉強をしたらよいのか？

　これは公務員を希望する人に共通の悩みでしょう。実際、公務員試験をみると、あらゆる科目のあらゆる分野から出題されているように思え、どこから勉強の手をつけてよいか途方にくれてしまうかも知れません。

　本書はそのような悩みを持つ人への一助となるべく作られたものです。私たちは長年、公務員希望者を直接指導するなかで、受験生にとって最も効率よく、またわかりやすい勉強方法を追求してきました。本書にはその成果がふんだんに盛り込まれています。

　たとえば、各教科の内容は必要最低限のものにしぼり込まれていますが、これは長年、本試験の出題傾向を分析した結果に基づいています。また、解説は受験生の弱点・盲点を把握した上で書かれているため、類書にない懇切丁寧なものとなっています。

　どこを、どのように勉強すればよいのか——そう思ったら、本書を使ってみて下さい。最も確実な答えがそこにあるはずです。

　皆さんが本書を活用されて、合格の栄冠を勝ち取られることを願ってやみません。

公務員ゼミナール講師陣

公務員試験のなかみ

高卒程度・初級試験

	試験の種類	事務系	技術系	体力系	主な内容
一次試験	教養試験（基礎能力試験）五肢択一	◎	◎	◎	次頁に詳細。
	適性試験（事務適性検査）五肢択一	○	×	×	120題15分（国家公務員）、100題10分（地方公務員）など。簡単な計算や図形の正誤、文章や記号の比較などの問題。短時間にできるだけ多く解答することが求められる。実施しない県・市町村もある。
	専門試験五肢択一	×	◎	×	40題100～120分、30題90分など。「土木」「建築」「電気」など、募集区分に対する専門試験。
二次試験	体力試験	×	×	◎	受験先により内容が異なる。一次試験で実施する場合もある。
	作文試験	◎	○	○	50分で600字程度、60分で800～1200字程度など。一次試験で実施しても、二次試験の際に評価される場合が多い。
	面接試験	◎	◎	◎	個別面接が主流。集団面接（数名の受験者をまとめて面接）や集団討論（受験者同士が、与えられた課題について議論する）を実施することもある。

大卒程度・中上級試験

	試験の種類	事務系	事務系以外	体力系	主な内容
一次試験	教養試験（基礎能力試験）五肢択一	◎	◎	◎	次頁に詳細。
	専門試験五肢択一	◎	◎	×	40題120～180分など。事務系は、「法律」「経済」「行政」から出題される。それ以外は、募集区分に対する専門試験。一部の市町村では実施されない。
	適性試験（事務適性検査）五肢択一	△	×	×	一部の市町村で実施。100題10分。簡単な計算や図形の正誤、文章や記号の比較などの問題。短時間にできるだけ多く解答することが求められる。
二次試験	体力試験	×	×	◎	受験先により内容が異なる。一次試験で実施する場合もある。
	論文試験	◎	◎	◎	60～120分で600～1600字程度。一次試験で実施する場合もある。
	面接試験	◎	◎	◎	個別面接が主流。集団面接（数名の受験者をまとめて面接）や集団討論（受験者同士が、与えられた課題について議論する）を実施することもある。

教養試験の出題内訳

高卒程度・初級試験

		総出題数 (解答時間)	数的推理 (数的処理)	判断推理 (課題処理)	社　　会	国語・英語	理　科
国家公務員	国家一般 税務職 海上保安官 刑務官	40題 (90分)	7題	7題	11題	11題	4題
	裁判所一般	45題 (100分)	13題	4題	14題	10題	4題
地方公務員	県職 警察官	50題 (120〜150分)	9題	8題	14題	13題	6題
	市町村職 消防官 (Standard)注4	40題 (120分)	8題	7題	14題	6題	5題

大卒程度・中上級試験

		総出題数 (解答時間)	数的推理 (数的処理)	判断推理 (課題処理)	社　　会	国語・英語	理　　科
国家公務員	国家一般 国税専門官	40題 (140分)	9題	7題	10題	11題	3題
	裁判所一般	40題 (180分)	9題	7題	10題	11題	3題
地方公務員	県職 警察官	50題 (150分)	8題	9題	18題	9題	6題
	市町村職 消防官 (Standard)注4	40題 (120分)	7題	8題	14題	6題	5題

注1　分野ごとの出題数は年度によって若干異なります。
注2　大学生・大学卒業者でも、受験可能な高卒・初級程度の試験があります（刑務官、海上保安官など）
注3　一般的な出題内訳は、以上の通りです。なお、これ以外のパターンもありますので、受験する試験の受験案内をご確認ください。
注4　市町村・消防官の教養試験は、Standard（標準タイプ）・Logical（知能重視タイプ）・Light（基礎力タイプ）の3タイプが施行されています。上表ではStandardの出題内訳を掲載しています。Logicalの総出題数・解答時間はStandardと同じですが、Lightは60題・75分です。自治体や職種によってタイプが異なることもありますので、受験案内等でご確認ください。詳細につきましては、日本人事試験研究センターの http://www.njskc.or.jp/ をご参照ください。

合格のための勉強法

①教養合格ラインは6〜7割

　これだけたくさんの出題分野を「すべて完璧に」勉強するのは、誰にもできないことです。そのため合格点はあまり高くなく、問題の難易度にもよりますが、難関といわれる試験で7割程度、ふつうは6割程度です。

②やさしい問題、よくでる問題を集中的に

　難しい問題も1点、簡単な問題も1点です。難しい問題は、それがわかるようになるための勉強時間も膨大なものになりますし、本番でも解く時間がかかります（1題に5分以上かけていては他の問題を解く時間がなくなる！）。

　資格試験（基準点をこえないと合格しない）ではなく、競争試験（他の人より1点でも高ければ合格する）ですから、みんなが解けない難問は自分も解けなくてよいのです。

　みんなが解ける問題を自分も確実に解くこと、これが公務員試験対策の基本です。公務員合格ゼミシリーズは、難問を思い切って省略し、合格のために必要な問題のみを選びぬいて掲載しています。

③「学校で習わない」出題数の多い数系でまず得点

　公務員試験独特の分野である「数的推理（数的処理）」「判断推理（課題処理）」「資料解釈」は、学校では習わない教科で、一番とまどう問題です。公務員合格ゼミシリーズ『数的推理』『判断推理』を使って、解法パターンをマスターすることが大切です。例題で解き方の基本を押さえ、演習を繰り返し解いて、「この問題はこの解き方だ！」とすぐにひらめくようにしましょう。

　この分野は、出題数も多く、ここで点をかせぐことが重要です。出題数の $\frac{2}{3}$ 程度が目標得点です。

④「捨て教科を作らない」知識系は広く浅く

　いくらある教科が得意でも、その教科の出題を必ず全問解けるようにするためには「高校の教科書をすみからすみまで」やる必要があります。そんな勉強をやるより、不得意教科の簡単な分野を勉強する方がはるかに勉強時間は少なくてすみます。

　数系以外の教科は、公務員合格ゼミシリーズ『社会』『理科』を使って、まず「まとめ」をノートなどに書いて覚えましょう。その上で演習を解いて、知識が定着しているかどうかを確かめていきます。

　特に高校を卒業してから時間がたっている方は、ここの分野をつい放置してしまいがちですが、理系であれば社会、文系であれば理科を特に意識して勉強していきましょう。

　捨て教科を作らず、どの教科も基本的な問題は必ず解けるようにします。出題数の $\frac{1}{2}$ 程度が目標得点です。

⑤いろんな過去問をやっておこう

　公務員試験は、一部の例外を除いて、人事院及びその外郭団体が一括して作成しています。たくさんの問題を作成しなければならないため、数年前に他の職種で出題した問題に手を加えて出題することが多くみられます。

　ですから、警察官志望だから警察官の過去問だけしかしない、というのは間違った考え方なのです（言い方を変えれば、警察官の試験にだけ出る問題というのもありません）。

　また、中上級のベーシックな問題は、初級の問題とレベルは変わりません。大卒程度の試験を受ける場合は、まず、本書に掲載されたレベルの問題は確実に解けるようにしておきましょう。さまざまな過去問を多数こなせば、本番試験で同じ問題に出会うことも多くなります。

　公務員合格ゼミシリーズは、そのような理由から過去問だけで構成しており、シリーズ全体で900題以上もの過去問を網羅しています。一度すべてを解いた人も、試験直前には、もう一度問題をやり直してみましょう。

◎出題頻度について

　本書では、各項目の問題の出題頻度を星印の数で表示しています。

出題頻度　★★★★	最頻出。繰り返し練習し、得点源にしてほしい。
出題頻度　★★★	頻出。必ず理解・習得しておくべき。
出題頻度　★★	標準。確実に合格するためには、ここまでは学習しておきたい。
出題頻度　★	出題頻度は高くない（試験によっては出題が見られる）。

● 目　次

執筆　　大林　朗
　　　　霍口信明

I

判断推理

I - 1

命題・論理

例 題

あるクラスで調査したところ、「兄がいないものには妹がいる」「兄がいるものには弟がいない」ことがわかった。これらのことから、次のうち正しいものはどれか。 [県・政令都市]

1　妹がいないものには弟がいる。
2　弟がいるものには妹がいる。
3　妹がいるものには弟がいない。
4　妹がいるものには兄がいない。
5　弟がいないものには兄がいる。

解 説

　記号論理学に関する問題である。ある判断を示したものを命題と呼ぶが、命題を記号化するときの約束をまず決めておきたい。

　$A \rightarrow B$…AならばBである。

　$\overline{A}$………Aでない。（否定）

　次に基礎事項をまとめておく。

①二重否定…二重否定はもとに戻る。

　$\overline{\overline{A}} = A$

②対偶…ある命題が真であればその対偶（もとの命題の左右を入れ替え、それぞれを否定の形にしたもの）も真である。

　$A \rightarrow B$　という命題が正しくいえるとき、$\overline{B} \rightarrow \overline{A}$　も正しくいえる。

③三段論法（しりとり）

　$A \rightarrow B$、$B \rightarrow C$　がいえるときは、$A \rightarrow C$　がいえる。

　以上の基礎事項をもとにして、例題を解いてみよう。

　手順　1：条件の命題を記号化する。

　手順　2：条件の命題の対偶をそれぞれ書く。ここまでで次のようになる。

兄→妹	対 ⎰妹→兄
兄→弟̄	偶 ⎱弟→兄̄

手順 3：選択肢を記号化して、上の 4 つの命題をしりとり（三段論法）でつないで結論が一致するかどうか調べる。一致すれば正解である。

1　妹̄→弟　　妹̄→兄→弟̄　×
2　弟→妹　　弟→兄̄→妹　○
3　妹→弟̄　×
4　妹→兄̄　×
5　弟̄→兄　×

正答……2

演　習

1 あるクラスで兄弟姉妹の調査をしたところ、次のようであった。
　兄のいる子には、弟もいる
　妹のいない子には、弟もいない
このとき正しくいえるのは、どれか。　　　　　　　　　　［市町村］

1　兄のいない子には、弟もいない
2　弟のいる子には、兄もいる
3　弟のいない子には、妹もいない
4　妹のいる子には、兄もいる
5　妹のいない子には、兄もいない

2 ある集団について次のア〜ウがいえるとき、確実にいえるのはどれか。
　　　　　　　　　　　　　　　　　　　　　　　　　　　　［市町村］
　ア　芸術を理解することができる者は感受性が豊かである。
　イ　創造力がある者は芸術を理解することができる。
　ウ　創造力がある者は自然を愛することができる。

1　感受性が豊かな者は芸術を理解することができる。
2　芸術を理解することができる者は自然を愛することができる。
3　自然を愛することができる者は感受性が豊かである。
4　感受性が豊かでない者は創造力がない。
5　創造力がない者は自然を愛することができない。

3 美しいものは繊細である。
チョウはきらびやかである。
繊細なものはきらびやかではない。
以上のことから確実にいえるのは、次のうちどれか。 [裁判所]
1　チョウは繊細である。
2　チョウは美しくない。
3　繊細でないものは、きらびやかである。
4　きらびやかなものは美しい。
5　繊細なものは美しい。

4 次のうち、論理的に正しいのはどれか。 [裁判所]
1　初恋はすっぱいものである。りんごはすっぱい果物である。ゆえに、初恋はりんごの味がする。
2　美しい人はプライドが高い。優しい人は美しくない。ゆえに、プライドが高い人は優しくない。
3　新緑は心を落ち着かせる。5月の山は新緑である。ゆえに、心を落ち着かせるものは5月の山である。
4　甘いものが好きな人は虫歯になりやすい。男の子は甘いものが好きである。ゆえに、女の子は虫歯になりにくい。
5　若者にとって大切なことは努力することである。努力することは苦痛である。ゆえに、苦痛でないことは若者にとって大切なことではない。

5 次のア、イ、ウから、エが論理的に導き出されるとき。　　　　に入る文として最も妥当なのは、次のうちではどれか。 [海上保安等]
　　ア　歴史が好きな人は、英語が好きでない。
　　イ　　　　　　　　　　　　　　　　　　　　　　　　　
　　ウ　運動が好きでない人は、音楽が好きである。
　　　　　　　　　　↓
　　エ　英語が好きな人は、運動が好きである。

1　運動が好きでない人は、英語が好きである。
2　運動が好きでない人は、歴史が好きでない。
3　音楽が好きでない人は、英語が好きでない。
4　歴史が好きな人は、運動が好きでない。
5　歴史が好きでない人は、音楽が好きでない。

例 題

次のA〜Cのことがいえるとすると、これらから正しくいえるのはどれか。
　A　成績のよい人は気位が高い。
　B　勤勉な人は誠実であり、かつ、成績がよい。
　C　人望のある人は気位が高くない。
1　人望のある人は誠実である。
2　人望のある人は勤勉でない。
3　勤勉でない人は人望がある。
4　成績のよくない人は人望がない。
5　誠実な人は人望がある。

解 説

「かつ」や「または」のでてくる問題。
「AかつB」(AにもBにも両方に属する)はA∩Bと、表す。
「AまたはB」(AかBか少なくとも一方に属する)はA∪Bと、表す。
A→B∩CやA∪B→Cが問題に出てきたときに、次のように命題の並列化という作業をすると、前項と同じように解ける。

命題の並列化

A→B∩C　は　A→B / A→C の2つに分けられる。

A∪B→C　は　A→C / B→C の2つに分けられる。

ただし、A∩B→C を A→C / B→C と分けることはできない。
A→B∪C を A→B / A→C と分けることはできない。

　この例題では、Bの命題が並列化できる。A〜Cの命題を記号化し、その対偶もつくると次のとおり。

A：成→気　　　　　　　　　$\overline{気}$→$\overline{成}$

B：勤→誠∩成

　　勤→誠　　　　　　　　$\overline{誠}$→$\overline{勤}$

　　勤→成　　　　　　　　$\overline{成}$→$\overline{勤}$

C：人→$\overline{気}$　　　　　　　　気→$\overline{人}$

以上より選択肢を検討すると

1　人→誠　　　人→$\overline{気}$→成→$\overline{勤}$→×

2　人→勤　　　人→$\overline{気}$→成→勤　○

3　$\overline{勤}$→人　　×

4　$\overline{成}$→$\overline{人}$　　成→$\overline{勤}$→×

5　誠→人　　×

正答……2

演 習

6 「運動部の人は筋力があって、かつ、敏捷性がある」という命題が成り立つとき、確実にいえることはどれか。　　　［東京消防庁］

1　運動部でない人は筋力がない。

2　敏捷性がある人は筋力がある。

3　筋力がない人は運動部でない。

4　筋力がある人は敏捷性がある。

5　敏捷性があり筋力がある人は運動部である。

7 次のア～ウの条件が成り立つとき、論理的に正しいのはどれか。

　　　［東京消防庁］

　ア　音楽が嫌いな人も、スポーツが嫌いな人も、読書は嫌いである。

　イ　映画が好きな人は、旅行が好きである。

　ウ　読書が嫌いな人は、映画は嫌いである。

1　スポーツが好きな人は読書が好きである。

2　旅行が好きな人は映画が好きである。

3　映画が好きな人は音楽が嫌いである。

4　スポーツが嫌いな人は音楽が嫌いである。

5　映画が好きな人は音楽が好きである。

8 英語ができる人は、旅行好きである。
中国語ができない人は、歴史に興味がない。
中国語ができる人は、英語ができない。
絵画に興味がある人は、フランス語も英語もできる。
歴史に興味がある人は、旅行が好きではない。

上文から確実に言えるのは、次のうちどれか。 ［福岡市現業］

1　フランス語ができる人は、旅行が好きではない。
2　歴史に興味がある人は、絵画にも興味がある。
3　フランス語ができる人は、英語ができない。
4　中国語ができる人は、フランス語ができない。
5　絵画に興味がある人は、旅行が好きである。

例　題

AであるものはBでない。Cの一部はBである。AであるものはすべてCである。これらのことから正しくいえるものは次のうちどれか。
1　CであるものはAでもある。
2　BでないものはCではない。
3　AであるCはBではない。
4　CであるものはBではない。
5　BであるものはAでもある。

解　説

記号化できない問題などは、ベン図を使うとよい。
「AになるものはBにならない」をベン図で表すと、右のようになる。

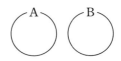

「Cの一部はBになる」をベン図で表すと右のようになる。

「AになるものはすべてCになる」(A→C) をベン図で表すと、右のようになる。

以上の関係を一緒に表すと、右のようになる。よって、選択肢3の「AになるCはBにならない。」が正しい。

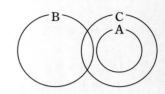

正答……3

演 習

9 次のことがわかっているとき、確実にいえるのはどれか。

○もしフランス語を話せる者が存在すれば、その者はドイツ語を話せる。
○フランス語、ドイツ語、英語のすべてを話せる者は存在しない。
○ドイツ語と英語の両方を話せる者は存在する。

[国家一般・税務職]

1 フランス語と英語の両方を話せる者は存在しない。
2 英語しか話せない者は存在しない。
3 ドイツ語しか話せない者は存在しない。
4 フランス語とドイツ語の両方を話せる者は存在しない。
5 フランス語しか話せない者は存在する。

10 次のＡ～Ｃがわかっているとき、確実にいえるのはどれか。

［警察官］

A 体の丈夫な人は足が速い
B 目がよい人は足が速い
C 体の丈夫な人の一部は目がよい

1 足が速く、体が丈夫な人は目がよい。
2 足が速く、目がよい人は体が丈夫である。
3 足が速く、体が丈夫で目がよい人がいる。
4 足が速い人は体が丈夫で目がよい。
5 体が丈夫で目がよい人は足が速くない。

11 さといもが好きな人は、すべて、だいこんが好きである。
なすが好きな人は、すべて、さといもが好きである。
かぼちゃが好きでない人の中には、さといもが好きな人はいない。

上の文と図から判断して、さといもにあたるのは次のうちどれか。

［裁判所］

1 A
2 B
3 C
4 D
5 E

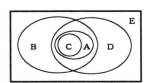

暗号・規則性

例　題

ある暗号では「ヒヤクニチソウ」は、「＋1＋1＋3＋2－3＋0＋0＋1－1＋1－2－2－4＋0」で表される。では、この暗号を使って「－1＋2－3－1＋0－2－3－2」と表される植物は次のうちどれか。

1　クレソン
2　トチノキ
3　タケノコ
4　ツユクサ
5　ヤマイモ

解　説

50音表を使った暗号で、最も一般的である。

ヒ	ヤ	ク	ニ	チ	ソ	ウ
+1+1	+3+2	-3+0	+0+1	-1+1	-2-2	-4+0

という対応をするので、これを50音表に入れて規則性を考える。

すると次の表のようになる。

		-4	-3	-2	-1	+0	+1	+2	+3	+4	+5
		ア	カ	サ	タ	ナ	ハ	マ	ヤ	ラ	ワ
+2	ア								+3+2		
+1	イ				-1+1	+0+1	+1+1				
0	ウ	-4+0	-3+0								
-1	エ										
-2	オ			-2-2							

よって、

タ	ケ	ノ	コ
-1+2	-3-1	+0-2	-3-2

と解読できる。

正答……3

演 習

12 ある暗号によると、「ヤサシイヒト」は「25 75 74 94 44 61」で表される。
この場合「カミナリ」の暗号は次のうちどれか。　　　　　　　　［福岡県現業］

```
1    85   74   51   92
2    85   34   55   14
3    81   32   51   12
4    25   74   55   94
5    21   72   51   92
```

13 ある暗号では、「あきのゆうひ」が「1 ÷ 1，4 ÷ 2，25 ÷ 5，24 ÷ 8，3
÷ 1，12 ÷ 6」で表される。それでは「18 ÷ 6，6 ÷ 2，5 ÷ 1，2 ÷ 2」
で表される県名は次のうちどれか。　　　　　　　　　　　　［県・政令都市］

```
1    福島        2    埼玉        3    石川
4    和歌山       5    福岡
```

14 図Ⅰで表す暗号を解読すると、「たかうじ」（足利尊氏）となる。暗号を解
くかぎは「4・1」が「た」、「2・1」が「か」、「1・3」が「う」、「13・2」
が「じ」である。
図Ⅱの暗号を同じ方法で解読したものとして妥当なのはどれか。

　　　　　　　　　　　　　　　　　　　　　　　　　　［国家一般・税務職］

図Ⅰ

図Ⅱ

```
1    徳川家康      2    織田信長      3    豊臣秀吉
4    源頼朝        5    平清盛
```

ある暗号によると、「セオ・サソ・セケ・サソ・イア・セ」は「ネコニコ
バン」を表しているという。では「サア・オ・ツナ」は次のどの分類に含
まれるか。　　　　　　　　　　　　　　　　　　　　　[県・政令都市]

1　鉱物
2　鳥
3　昆虫
4　植物
5　両生類

解　説

　アルファベットに対応した暗号である。50音表でやったのと同じように、
アルファベット表で規則性を考えるとよい。

　　N　E　K　O　N　I　K　O　B　A　N
　　セ　オ・サ　ソ・セ　ケ・サ　ソ・イ　ア・セ

という対応をしている。

これをアルファベット表に入れて規則性を考えると次のようになる。

A B C D E F G H I J K L M N O P Q R S T U V W X Y Z
アイウエオカキクケコサシスセソタチツテトナニヌネノハ

　したがって、

　　K　A　E　R　U
　　サ　ア・オ・ツ　ナ

と解読できる。　　　　　　　　　　　　　　　　　　　　正答……5

演 習

15　「19、11、23、11、12、35、25」は I AM A BOY と表される。
それでは「19、30、19、31、13、22、35、29、14、25、30、35、14、11、
25」を訳すと次のうちのどれになるか。　　　　　　　　　　　　　［刑務官］

　　1　今日はよい天気だ
　　2　夏は暑い
　　3　今日はくもりだ
　　4　夏はよい季節だ
　　5　今日は暑い

16　暗号で、DRQHは鳥、HWNは犬とすると、OVCは何を表しているか。
　　　　　　　　　　　　　　　　　　　　　　　　　　　　　　　［県・政令都市］
　　1　猫　　　2　少年　　　3　日
　　4　空　　　5　太陽

17　ある規則に従うと「BRAZIL」は「11、24、00、55、32、13」と表
される。この規則に従うと、「EGYPT」を表すのはどれか。
　　　　　　　　　　　　　　　　　　　　　　　　　　　　　　　［裁判所］
　　1　「14、12、45、53、24」
　　2　「14、23、46、35、45」
　　3　「22、16、64、53、54」
　　4　「41、12、45、53、44」
　　5　「41、23、54、35、44」

ZAYBXUWKVUUMTASGRAQWPAO
上の暗号をある規則により、削除整理した後にできる言葉と最も深い関係
のある地域は次のうちどれか。 ［国家一般・税務職］

1　北海道
2　東北
3　関東
4　中部
5　近畿

解　説

　原文によけいな文字をはさみこんでいるもの、原文をただ並びかえたものな
ど、原文の文字そのものは置き換えられていないパターンもある。特に、原文
を並びかえただけのものは転置式と呼ばれるが、何行かに分けて書き直してみ
るとよい。
　上の問題では次のように文字を消していくとよい。

　　Z̶A Y̶ B X̶ U W̶ K V̶ U U̶ M T̶ A S̶ G R̶ A Q̶ W P̶ A O̶

これから、残った文字をひろっていくと、
ＡＢＵＫＵＭＡＧＡＷＡ→阿武隈川　と解読できる。 正答……2

演 習

18 暗号「KBCIFWOAMKLOD」をある規則によって削除整理した後の言葉と最も関係の深い都道府県名は滋賀県である。それでは「ONNOMTLOKHJAINHTGOH」を同様の規則によって削除整理した後の言葉と最も関係の深い都道府県名はどれか。

1 秋田県
2 石川県
3 和歌山県
4 岡山県
5 鹿児島県

19 次のAに示した文字をある規則に従って並べ替えるとBに示すようなことわざとして読むことができる。これと同じ規則性によって並べ替えたとき一つのことわざとして読めるのはどれか。 　[市町村]

A　てるしほくのおにおまうやどねんふせ
B　船頭多くして船山に上る

1 しなりかひばれざかがみまた
2 のいのかなずわかをいかいたずらし
3 ひなとろけりたぬたはむにこいの
4 たあしらさきはけたあしらかきぶわろくもにれ
5 るばれれすぎわすをとさもつどあの

20 次の暗号を解読したときにあてはまるものはどれか。 　[東京消防庁]

ハホヨナヒニ・ルンウハイク・ニヲスルダサ

1 松　　2 桂　　3 杉　　4 桐　　5 桜

次の数はある規則により並べられている。( )に入る数は次のうちどれか。

[国家一般・税務職]

1、2、5、11、21、36、( )、…

1　48

2　49

3　53

4　55

5　57

■ ポイント

数列の問題である。代表的な数列を次に挙げておくので覚えておくとよいだろう。

○等差数列－隣合った2項の差が一定

　例) 1、3、5、7、9、…

　　差　2　2　2　2

○等比数列－隣合った2項の比が一定

　例) 1、2、4、8、16、…

　　比　2　2　2　2

○階差数列 (隣り合った2項の差をとりできた数列) に規則性

　例) 2、4、8、14、22、32、…

　　差　2　4　6　8　10

　　　　2　2　2　2

○分母・分子で別の規則性

　例) $\dfrac{1}{2}$, $\dfrac{2}{5}$, $\dfrac{3}{8}$, $\dfrac{4}{11}$, $\dfrac{5}{14}$, … ←分子が公差1の等差数列

　　　　　　　　　　　　　　　　　　　←分母が公差3の等差数列

○1つおきに規則性

　例) 1、3、11、13、21、23、…

　　差　2　8　2　8　2

○逆数に規則性

例） 2, 1, $\dfrac{2}{3}$, $\dfrac{1}{2}$, $\dfrac{2}{5}$, …

↓ ↓ ↓ ↓ ↓

逆数） $\dfrac{1}{2}$, 1, $\dfrac{3}{2}$, 2, $\dfrac{5}{2}$, … 　逆数が公差$\dfrac{1}{2}$の等差数列

○等差数列の各項の2乗や3乗が並んでいる。

例） 1, 4, 9, 16, 25, 36, …

↓ ↓ ↓ ↓ ↓ ↓

1^2, 2^2, 3^2, 4^2, 5^2, 6^2, …

■■■ 解　説 ■■■

2回差をとってみると次のとおり。

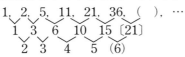

したがって、57 があてはまる。　　　　　　　　　　　　　　正答……5

21 4、6、9、13、18、……
上のような数列の第20項として正しいものは次のうちどれか。

[裁判所]

1　210
2　211
3　212
4　213
5　214

22 ある法則にしたがって3つの数字が次のように横に並んでいるとき、空所（　）に入る数字はどれか。

[警視庁Ⅲ類]

4　☆　2　◇　3
5　☆　7　◇　6
9　☆　5　◇（　）
6　☆　4　◇　5
8　☆　6　◇　7

1　3
2　4
3　5
4　6
5　7

23 ある規則に従うと「2●3」は11、「3●5」は23、「4●2●1」は29となる。この規則に従うと、「3●4●5」はいくつになるか。

[裁判所]

1　119
2　149
3　194
4　223
5　322

試合と勝敗に関する問題

出題頻度 ★★★

例　題

A〜Eの5人が総当たり戦方式で相撲の試合をした。引き分け試合はなく、5人の最終戦績はことごとく相異なっていた。AはEに勝ち、2位で、BはC、Dに勝ち、EはCに勝った。以上より、正しくいえるものは次のうちどれか。　　　　　　　　　　　　　　　　　　　　　　　　　[県・政令都市]

1　Cは2勝2敗である。
2　Dは1勝3敗である。
3　AはCに勝った。
4　DはAに勝った。
5　EはBに勝った。

解　説

リーグ戦（総当たり戦）問題では、勝敗表をつくって考える。勝ったチームの相手チームは必ず負けているので、勝敗表は1ヶ所埋まればそれに対応する欄も自動的に埋まる。（右の例参照）

例：AはBに勝った。

引き分けがない場合、全試合数と各チームの勝ち数の合計または負け数の合計は等しいことも覚えておくとよい。

例題では次に示す手順で勝敗表が作成される。

	A	B	C	D	E
A		×	○	○	○
B	○		○	○	○
C	×	×			×
D	×	×			
E	×	×	○		

・AはEに勝ち。
・BはC、Dに勝ち。
・EはCに勝ち。
・5人の総当たり戦でとりうる勝敗は、4勝0敗、3勝1敗、2勝2敗、1勝3敗、0勝4敗の5とおりである。A〜Eの5人の最終戦績はすべて

異なっているから、この 5 人の戦績は上に示した勝敗のいずれかである。

・A は 2 位だから、3 勝 1 敗である。したがって、4 勝 0 敗は B である。→ A は C、D に勝ち。

わかるのはここまでである。 正答……3

演　習

24 A〜F の 6 人が柔道の試合をリーグ戦で行った。最終結果は C が全勝、A が 1 敗、E が 2 敗、F が 3 敗で、引き分けに終った試合はなかった。以上より正しくいえるものは次のうちどれか。 ［刑務官］

1　B が D に勝ち、F に敗れた。
2　B が F に勝ち、A に敗れた。
3　D が E に勝ち、B に敗れた。
4　E が A に勝ち、D に敗れた。
5　F が B に勝ち、E に敗れた。

25 A〜F の 6 チームが総当たりで野球の試合を行った。A が全勝（5 勝）して優勝したほか、次のア〜エが分かっているものとすると、確実にいえるのはどれか。 ［市町村］

ア　B は一勝しかしていない。
イ　C の引き分け試合は、一つだけである。
ウ　D は 3 勝 2 敗で、E は 4 勝 1 敗であった。
エ　引き分けの試合は、一試合だけしかなかった。

1　B が F に勝っているなら、C と引き分けたのは B である。
2　B が C に勝っているなら、C と引き分けたのは F である。
3　C が B に勝っているなら、F は全敗したことになる。
4　F が C と引き分けたなら、F はそれ以外は全敗した。
5　F が C と引き分けたなら、C は一勝もできなかった。

26 A〜Fの6チームが総当たり方式で野球の試合を行った。結果は、Aが5勝、Bが4勝、Cが3勝であった。Dは1勝3敗1引き分けで、Eは1勝しかできなかった。以上より、確実にいえるのは次のうちどれか。

[県・政令都市]

1　Fは全敗した。
2　BはAに勝った。
3　EはFに勝った。
4　CはFに敗れた。
5　DはEに勝った。

27 A〜Eが総当たりするバレーボールの試合が行われた。結果はA、C、Dの3チームがそれぞれ3勝し、引き分け試合はなかった。このとき、ありえないのはどれか。

[国家一般・税務職]

1　AはCに負けた。
2　BはEに負けた。
3　CはDに負けた。
4　DはBに負けた。
5　EはAに負けた。

例　題

A〜Fの6人がトーナメント方式でゲームを行った。次の(1)〜(5)の説明文とトーナメント表から考えて正しくいえるものはどれか。

[県・政令都市]

(1)　AはBに勝った。
(2)　AはCに敗れた。
(3)　EはFに敗れた。
(4)　FはCに勝った。
(5)　Fは2回戦でDに勝った。

1　Aはウである。
2　Bはカである。
3　Cはイである。
4　Dはアである。
5　Eはオである。

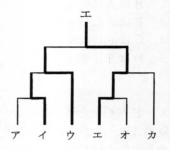

解　説

　トーナメント戦の問題では、組合せの状態を問うものが多い。これを解く際、基本にするのは、トーナメント方式では負けるとそれ以上試合はできないという点である。

　例えば、「AはBに勝った。」と「AはCに負けた。」という2つの条件があったら、A対Cの方が、A対Bの試合より後にあったことがわかる。

　上の問題では条件より、次のことがわかる。

　○A－B×
　×A－C○
　×E－F○
　○F－C×
　○F－D×（2回戦）

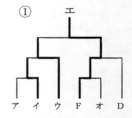

・Fは3勝しているが、3勝すると優勝以外ないので、Fはエで、Dはカである。（図①）
・Cは1勝はしていて、Fに負けているから、Cはウで、Eはオである。
・Cがウであるから、Aはイで、Bがアである。
　以上より、図②のようになる。

正答……5

②
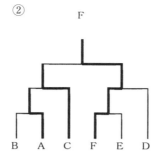

演 習

28 A～Fの6人がトーナメント方式によりテニスの試合をした結果、図のようになった。①～③のことが分かっているとき、確実にいえるのはどれか。 ［国家一般・税務職］

太線は勝ち進んだ状況を示す。

① BはEに負けた。
② EはDに負けた。
③ FはAともDとも対戦しなかった。

1 AはEに勝った。
2 BはCに勝った。
3 Cは優勝した。
4 DはAに負けた。
5 Eは準優勝した。

29 秋山、梅田、木島、武藤、山中の5人が試合の前に集まって抽選で組合せを決めて、図で示しているようなトーナメントでテニスの試合を行った。その結果、秋山は木島に勝ち、山中は梅田に勝ち、武藤は山中に勝った。以上より正しくいえるものはどれか。 ［県・政令都市］

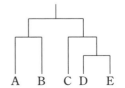

1 山中はAまたはBを引いた。
2 秋山は優勝した。
3 武藤はCを引いた。
4 秋山は3回試合をした。
5 武藤が優勝した。

30 A〜Hの8チームのトーナメントが行われ、Aが優勝した。図のような組合せで施行され、D〜Hがどれかに入る。ア〜ウはすでに分かっていることであり、そこから確実にいえるのはどれか。　[国家一般・税務職]

ア　EはDに勝ったが、決勝に
　　出れなかった。
イ　2回戦でFは負けた。
ウ　GとAは対戦しなかった。

1　BはAに負けた。
2　CはGに負けた。
3　EはCに負けた。
4　FはBに負けた。
5　HはFに負けた。

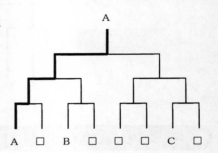

31 ある地区でバレーボール大会がトーナメント方式で行われ、19チームが参加した。この19チームのうち、いくつかのチームは第2回戦から試合を行い、残りのチームは第1回戦から試合を行うこととした。このとき、第2回戦以降の試合数はいくつあるか。
ただし、試合の免除は、第1回戦だけに行われるものとする。

[刑務官]

1　7
2　9
3　11
4　13
5　15

うそと本当の問題

例 題

A～Eの5人はそれぞれ色の異なる車を持っており、その色は白、黒、赤、黄、緑のいずれかである。
車の色について、それぞれ次のように述べている。

 A 「私の車は緑色で、Cの車は黒色です。」
 B 「私の車は黄色で、Dの車は黒色です。」
 C 「私の車は赤色で、Bの車は白色です。」
 D 「私の車は白色で、Aの車は緑色です。」
 E 「私の車は赤色で、Cの車は白色です。」

各人の発言は半分だけ本当で、半分はうそであるとすると、正しくいえるものは次のうちどれか。

1 Aは緑色で、Eは黒色である。
2 Bは黄色で、Cは赤色である。
3 Cは赤色で、Dは白色である。
4 Dは白色で、Eは赤色である。
5 Eは赤色で、Bは白色である。

解 説

 各人の発言の半分が本当で、半分がうそというパターン。

 各人の発言を表にまとめ、そのうちの1人の発言の片方を本当、もう一方をうそと仮定して、それをもとに全体を調べる。その結果、矛盾が生じれば、最初の仮定が誤っていることになるから、初めの仮定をやりなおすとよい。矛盾が生じなければ、最初の仮定は正しい。

各人の発言内容を表に書き、まず、Ｃの発言中、「Ｂの車は白」という発言の方が本当であると仮定して（どれを仮定するかは適当である）全体を調べてみると、表①のとおりである。これは矛盾が生じていないから、最初の仮定は正しく、Ａは緑色、Ｂは白色、Ｄは黒色、Ｅは赤色で、Ｃは残った黄色である。

　ちなみに、Ｃの発言中、「私の車は赤」を正しいと仮定して調べると、表②のように矛盾が生じる（Ｃが赤色であり白色でもあるという矛盾）。このときは、最初の仮定（「Ｃの車は赤」が正しい）が誤りであるから、「Ｃの車は赤ではない」が正しいことになる。そして、それをもとに全体を調べ直すのである。

①

車の色

発言者	白	黒	赤	黄	緑
A		×C			○A
B			○D	×B	
C	○B		×C		
D	×D				○A
E	×C		○E		

②

車の色

発言者	白	黒	赤	黄	緑
A		×C			○A
B		D	B		
C	×B		○C		
D	×D				○A
E	○C		×E		

正答……5

26

演 習

32 A〜Eの5人が400m競争をした後、順位について次のように言っている。

　A：私は2着で、1着はCであった。
　B：私は3着で、2着はDであった。
　C：私は4着で、3着はEであった。
　D：私は3着で、4着はAであった。
　E：私は1着で、5着はBであった。
　5人の言っていることは、いずれも前半と後半のどちらかがうそであるとすると、確実にいえるのは次のうちどれか。　　　　　　[県・政令都市]

1　1着はCである。
2　2着はAである。
3　3着はBである。
4　3着はDである。
5　4着はCである。

33 A、B、C、D、Eの5人がマラソンをし、1着から5着までの順位を決めた。その順位を各自に聞いたところ、次のように答えた。
　A「私は5着で、Dは2着だ。」
　B「私は3着で、Cは2着だ。」
　C「私は2着で、Aは4着だ。」
　D「私は2着で、Bは1着だ。」
　E「私は5着で、Cは4着だ。」
　この5人の答えが、いずれもその半分が本当のことで、半分がうそであったとすると、本当の4着は、次のうちだれか。　　　　　　　[裁判所]

1　A
2　B
3　C
4　D
5　E

34 マラソンの結果について、A、B、C、D、Eの5人が、それぞれ次のように言っている。

A　Dは1着で、私は5着だった。

B　私は2着で、Eは3着だった。

C　私は2着で、Dは3着だった。

D　私は3着で、Eは2着だった。

E　私は4着で、Bは5着だった。

この5人の言っていることの片方だけが本当のことであり、同順位はなかったとすれば、正しいのは次のうちどれか。　　　　　　[裁判所]

1　1着はCである。

2　2着はEである。

3　3着はAである。

4　4着はDである。

5　5着はBである。

例 題

A〜Eの5人が宝くじを買ったところ、1人だけが当たった。後で5人から話を聞いたところ次のような返答が返ってきた。

A　当たったのはCです。
B　当たったのはAです。
C　Aは「Cが当たった」といっているがそれはうそです。
D　私は当たっていません。
E　当たったのはBです。

しかし、本当のことを答えたのは1人だけで、残りの4人はうそをついていたことがわかった。宝くじが当たった人は誰か。

1 A　　2 B　　3 C　　4 D　　5 E

解 説

宝くじなどで、当たったのは1人だけで、それについて各人が話をしているが、本当のことを言っているのはそのうち数人である、というパターン。このような問題では、Aが当たったと仮定したら、本当のことを言っている人が何人、うそを言っている人が何人、Bが当たったと仮定したら……というふうに調べてみて、条件に合うものを探すとよい。

まず各人の発言をそのまま表にまとめると、表①のようになる。

次に各人の発言で、空欄になっている部分に現在埋まっている記号と反対の記号を埋めていく。例えば、Aの発言では、Cが当たったとなっているが、その他の人ははずれたと言っていることに他ならないので、A、B、D、Eの欄に×を入れる。

同様にBの発言では、A以外がはずれたと言っていることに他ならないので、B、C、D、Eの欄に×を入れる。

Cの発言では、自分がはずれたという趣旨の発言をしているので、当たったのはC以外の人ということになる。それで、A、B、D、Eに○を入れる。

以上と同様の作業をD、Eの発言でも行うと、表②のようになる。

① 当たった人

発言者	A	B	C	D	E
A			○		
B	○				
C			×		
D				×	
E		○			

② 当たった人

発言者	A	B	C	D	E
A	×	×	○	×	×
B	○	×	×	×	×
C	○	○	×	○	○
D	○	○	○	×	○
E	×	○	×	×	×

そして、各人が宝くじに当たったと仮定してみたときに、何人が本当のことを言っているか調べる。Aが宝くじに当たったと仮定すると、Aの縦の欄に○がついているB、C、Dの3人が本当のことを言っていることになる。これは「本当のことを言っているのは1人だけ」という条件に反する。よって、Aは宝くじに当たった可能性がない。同様に、表の縦一列にいくつ○が入っているか、数えればよい。

　各人が宝くじに当たったと仮定すると、本当のことを言っている人数は次のようになる。

　A：3人、B：3人、C：2人、D：1人、E：2人

　以上より、「本当のことを言っているのが1人」になるのは、Dが当たったと仮定したときだけである。よって、宝くじが当たったのはDである。

正答……4

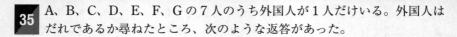

演 習

35 A、B、C、D、E、F、Gの7人のうち外国人が1人だけいる。外国人はだれであるか尋ねたところ、次のような返答があった。

　　A　「外国人はEかFである。」
　　B　「外国人はAかCかGである。」
　　C　「A、Gは日本人である。」
　　D　「外国人はBかGである。」
　　E　「B、C、E、Gは外国人ではない。」
　　F　「外国人はBかCである。」
　　G　「外国人はDかEかFである。」

ところが上記の返答のうち本当のことを言っているのは4人だけであり、残りの3人はうそを言っていることがわかった。以上から判断して外国人であるのは次のうちだれか。

[裁判所]

　　1 B　　2 C　　3 D　　4 F　　5 G

36 チューリップの球根を植えたら、1本の花が咲いた。A、B、C の 3 人の子供に花の色を聞いたところ、以下の様に答えたが、咲いた花の色が _____ の時に、3 人のうち 1 人だけが本当のことを言っていることになる。
_____ に入る言葉として正しいのはどれか。ただし、植えた球根の花の色は赤、黄色、ピンク、白とする。　　　　　　　　　[国家一般・税務職]

　A　赤でもなく黄色でもない
　B　黄色でもなくピンクでもない
　C　ピンクでもなく白でもない

1　赤か白
2　赤か黄色
3　ピンクか白
4　黄色か白
5　ピンクか黄色

A～Dの4チームが野球の試合をした。試合の前に甲・乙の2人は成績順位の予想を次のようにしていた。

　　甲　「1位はAで以下D、C、Bの順位と思う」
　　乙　「1位はAで以下C、B、Dの順位と思う」

試合の結果はBチームが1位となり甲・乙の予想はそれぞれ1チームだけ当たっていた。A、C、Dの3チームの順位として正しいのはどれか。

[警察官]

1　A－C－D
2　A－D－C
3　C－A－D
4　D－A－C
5　D－C－A

解　説

　順位を仮定して、甲、乙の予想と見比べて、それぞれ1チームだけ予想が当たっていれば、正しい順位の可能性がある。特にこの問題の場合、選択肢の中に正しい順位は含まれているので、選択肢1～5がそれぞれ正しいと仮定したときに、条件どおりになるものを選ぶとよい。

　選択肢1が正しいと仮定すると→①B②A③C④D
　　甲：①A②D③C④B………③Cが当たり
　　乙：①A②C③B④D………④Dが当たり
　条件どおりになっているので、選択肢1が正しい。
　選択肢2が正しいと仮定すると→①B②A③D④C
　　甲：①A②D③C④B………すべてはずれ
　　乙：①A②C③B④D………すべてはずれ
　条件どおりになっていない。
　以下、選択肢3～5が正しいと仮定した場合も、同様に条件どおりにはならない。

正答……1

演 習

37 ある会社のビルのエレベーターホールで、営業課、管理課、および企画課のそれぞれの所在階を、A、B、C、D、E、Fの6人の通行人に尋ねて整理した結果、次のようになった。

	営業課	管理課	企画課
A	1	4	7
B	3	5	7
C	2	5	8
D	3	6	9
E	1	6	8
F	2	4	9

その後、それぞれの所在階を確認した結果、営業課は1階にあることがわかり、営業課、管理課、および企画課のそれぞれの所在階をすべて正しく答えた人はいなかったが、すべて間違えた人もいなかったことがわかった。以上から判断して、管理課と企画課の所在階の正しい組み合わせは次のうちどれか。 [東京都]

	管理課	企画課
1	4	7
2	4	9
3	5	8
4	5	9
5	6	7

38 A〜E5人のうち2人が内緒でケーキを食べた。食べた者を聞かれた時の返事は次のようであった。

    A 「CとD」
    B 「AとC」
    C 「BとE」
    D 「BとC」
    E 「AとD」

このとき食べた2人は互いに相手の名前を言わず、食べていない者はでたらめを答えた。ケーキを食べた者は誰か。

［市町村］

1   AとD
2   AとE
3   BとC
4   BとE
5   CとE

39 A、B、Cの3人が、それぞれ山、川、海のいずれかに行ったが、だれがどこに行ったのか3人に尋ねたところ、次のような返事が返ってきた。3人のうち、1人は全て真実を言っているが1人は半分偽りを、あと1人は偽りのみ言っていることが分かっている時、妥当なのはどれか。

［国家一般・税務職］

    A 山に行ったのはBで、海に行ったのはCだ。
    B 川に行ったのはCで、海に行ったのはAだ。
    C 川に行ったのはBで、海に行ったのはAだ。

1   Aが山に、Bが海に行った。
2   Aが川に、Bが海に行った。
3   Aが海に、Cが山に行った。
4   Bが川に、Cが海に行った。
5   Bが山に、Cが川に行った。

対応関係

出題頻度 ★★★★

例　題

A～Eの5人は、絵、音楽、読書、野球、テニスの中から、それぞれ2つを趣味としている。絵を趣味とする人は3人、音楽を趣味とする人は1人、他は2人ずつである。Aは絵と読書、Cは音楽、Eは野球を趣味としている。またAはB、Cと共通な趣味を持たない。これから正しくいえるのは、次のうちどれか。

1　Cはテニスを趣味としている。
2　Dは野球を趣味としている。
3　Eは読書を趣味としている。
4　AとEは共通の趣味を持っていない。
5　BとDは共通の趣味を持っている。

解　説

　人物と趣味、人物と職業等の対応関係を明らかにする問題で、解法は対応表を作成する。1つの条件から、いくつものことが判明する場合も多いため、解答にいきづまったら、何度も条件を読み返すことが必要である。

①

	絵	音	読	野	テ
A	○	×	○	×	×
B		×			
C		○			
D		×			
E		×		○	

　　　3　1　2　2　2

・Aは絵と読○→Aは音、野、テ×
・Cは音○→B、D、Eは音×
・Eは野○
　以上より表①ができる。

②

	絵	音	読	野	テ
A	○	×	○	×	×
B	×	×	×	○	○
C	×	○	×	×	○
D	○	×	○	×	×
E	○	×	×	○	×
	3	1	2	2	2

・Aは B、Cと共通な趣味を持たない。

　→B、Cは絵、読×

　→Bは野、テ○→C、Dは野×

　→D、Eは絵○→Eは読、テ×

　→Dは読○、テ×→Cはテ○

　以上より表②ができる。

正答……1

演習

40 A〜Dの4人は日本人、中国人、アメリカ人、インド人のいずれかであり、同じ国の人はいない。この4人について次のア〜エが分かっているとき、確実にいえるのはどれか。　　　　　　　　　　　　　　[市町村]

　ア　Aはいま中国人と話をしている。

　イ　Bは日本人より若い。

　ウ　インド人はBと同じ年齢である。

　エ　中国人がここに来たのはDより早くBより遅かった。

1　Aは日本人である。

2　Aはインド人である。

3　Bはアメリカ人である。

4　Cはインド人である。

5　Dは日本人である。

41 A〜Eの5人に、赤、白、青、黄、緑のうち好きな色を幾つでも挙げさせたところ、赤を好きといった者は1人、白は2人、青は3人、黄は2人、緑は2人であった。また、5人は次のようにいった。

 A 「黄は好きだが白は好きでない。」
 B 「緑は好きだが青は好きでない。」
 C 「白は好きだが黄は好きでない。」
 D 「緑は好きだが青は好きでない。」
 E 「2色好きでその一つは赤である。」

以上のことから確実にいえるのはどれか。　　　　　　　　　［県・政令都市］

1　Aは青が好きである。
2　Bが好きな色は2色である。
3　Cは青が好きではない。
4　Dが好きな色は3色である。
5　Eは白が好きである。

42 A〜Eの5人が、赤、青、黄、緑、黒の5色から2色だけを使い、それぞれ絵を描くことにした。次のア〜オのことがわかっているとき確実にいえるものはどれか。　　　　　　　　　　　　　　　　　　　　　　　　［県・政令都市］

 ア　色の組合せが同じだった人はいない。
 イ　A、Bは赤を使う。Cは赤を使わない。
 ウ　C、Dは青を使う。2人とも黄は使わない。
 エ　Bは緑を使う。Dは黒を使う。
 オ　Eは黄、緑を使わない。

1　Aは青を使った。
2　Aは黒を使った。
3　Eは赤を使った。
4　Eは青を使った。
5　Eは黒を使った。

43 A～Eの5人が、それぞれ一つのプレゼントを持ち寄って交換した。今、次のア～カのことが分かっているとき、確実にいえるのはどれか。

ア　持ち寄られたプレゼントは、人形、マグカップ、ゲームソフト、サッカーボール及びロボットであった。

イ　Aは、サッカーボールをもらった。

ウ　Bは、マグカップをもらった。

エ　Cは、人形を持ってきた。

オ　Dが持ってきたゲームソフトをもらったのは、サッカーボールを持ってきた人である。

カ　A～Eは、それぞれが持ち寄ったプレゼントと違うものを一つずつもらった。

[東京特別区]

1　Aは、マグカップを持ってきた。

2　Bは、サッカーボールを持ってきた。

3　Cは、ゲームソフトをもらった。

4　Dは、ロボットをもらった。

5　Eは、人形をもらった。

例　題

ABCD の 4 氏は OPQR の 4 市に住んでいて、この 4 氏の妻の名前は KLMN である。次の abcd のことがわかっているとき、各人の妻の名前と住んでいる市を述べたものとして正しいのはどれか。　　[国家一般・税務職]

a　A 氏と B 氏は日曜日だけが休みである。また B 氏の家は R 市にはない。

b　C 氏の妻は、K、M、B 氏の 3 人と先日の夜、会食した。

c　K は毎週木曜日が休みである夫とともにゴルフに出かける。彼女は O 市に住んでいる。

d　C 氏の家は P 市にあり、L の家は R 市にある。

1　A 氏の妻は M で、彼の家は Q 市にある。

2　A 氏の妻は N で、彼の家は Q 市にある。

3　B 氏の妻は M で、彼の家は Q 市にある。

4　B 氏の妻は N で、彼の家は Q 市にある。

5　D 氏の妻は L で、彼の家は R 市にある。

解　説

①

	O	P	Q	R	K	L	M	N
A	×	×	×	○	×			
B	×	×	○	×	×			
C	×	○	×	×	×		×	
D	○	×	×	×	○	×	×	×
K	○	×	×	×				
L	×	×	×	○				
M	×			×				
N	×			×				

対応させるものが 3 種類になると、対応表も 3 種類できる。

表①のように A ～ D の名前と住所、A ～ D の名前と妻の名前、妻の名前と住所の 3 とおりの表をつくる。

・a より、B は R ×

・b より、C は K、M ×

・a より、A、B の休みは日曜日だけであるが、c より、K の夫は A、B ではない。→ D は K ○

・c より、K は O ○ → D は O ○

・d より、C は P ○、L は R ○ → A は R ○、B は Q ○

以上より、表①ができる。

②

	O	P	Q	R	K	L	M	N
A	×	×	×	○	×	○	×	×
B	×	×	○	×	×	×	○	×
C	×	○	×	×	×	×	×	○
D	○	×	×	×	○	×	×	×
K	○	×	×	×				
L	×	×	×	○				
M	×	×	○	×				
N	×	○	×	×				

・LはR市で、AもR市だから、Aの妻
はL→BはM○、CはN○
・Mの夫はB、BはQ市だから、Mは
Q○→NはP○
以上より、表②ができる。

正答……3

演　習

44 A、B、Cの3人の高校生は、野球部、サッカー部、山岳部に入っている。
3人は入っている部も学年もそれぞれ異なっている。

　　Aは1年生ではない。
　　Bはサッカー部に入っていない。
　　Cは野球部に入っている。
　　山岳部に入っているのは2年生である。

これらのことからいえることとして正しいのはどれか。

［国家一般・税務職］

1　Aは3年生である。
2　Bは1年生である。
3　Cは2年生である。
4　サッカー部に入っているのは1年生である。
5　野球部に入っているのは3年生である。

45 新規採用予定者である、小林、佐藤、山内の３人は、Ａ市、Ｂ市、Ｃ市に１人ずつ住んでおり、その出身校は、東高校、西高校、南高校の３校である。次のア、イ、ウのことが分かっているとき、いえることとして正しいのはどれか。　　　　　　　　　　　　　　　　　　　　[刑務官]

ア　Ａ市に住んでいる者は、山内と身長が同じである。
イ　Ｂ市に住んでいる者は、西高校出身である。
ウ　Ｃ市に住んでいる者は、佐藤が東高校出身であることを知っており、また、佐藤より身長が低い。

1　Ａ市に住んでいる者は、小林である。
2　Ａ市に住んでいる者は、南高校出身である。
3　Ｂ市に住んでいる者は、西高校出身の小林である。
4　Ｃ市に住んでいる者は、南高校出身の山内である。
5　Ｃ市に住んでいる者は、南高校出身の小林である。

46 Ａ、Ｂ２人の女とＣ、Ｄ、Ｅ３人の男の職業は、金物屋、パン屋、魚屋、電気屋、薬屋（順不同）であり、その住所は新宿、池袋、上野、品川、渋谷（順不同）である。また、次のことが分かっているとき、人と職業又は住所の組合せとして正しいのはどれか。　　　　　　　　　　[県・政令都市]

ア　パン屋が住んでいる所は、新宿ではない。
イ　薬屋の一家は、上野に住んでいる。
ウ　金物屋のＥが住んでいる所は、品川ではない。
エ　Ａは、新宿には住んでいない。
オ　Ｄは、上野に住んでいる。
カ　ＡもＢも、身寄りはなく、住んでいる所は、品川ではない。
キ　渋谷に住んでいる男と魚を売って歩いている男とは別人である。

1　Ａ－薬屋
2　Ｂ－新宿
3　Ｃ－渋谷
4　Ｄ－電気屋
5　Ｅ－池袋

下記のことから確実にいえることはどれか。　　　　　　　　　　　[海上保安]

犬と猿を３匹ずつおりに入れる場合、必ず犬は犬だけ、猿は猿だけ入れる
必要がある。

今、この６匹をA、B、C、D、E、Fとする時、A、B、Cを同じおりに
入れてはいけないし、B、C、Dを同じおりに入れてもいけないが、少な
くとも、E、Fは同じおりに入れてある。

1　B、Dを同じおりに入れてはいけない。
2　D、Eを同じおりに入れてはいけない。
3　C、Eを同じおりに入れてはいけない。
4　C、Dを同じおりに入れてはいけない。
5　A、Bを同じおりに入れてはいけない。

解 説

２種類のうちどちらに属するかを調べるパターンである。

例題の場合、選択肢を見ると、どれが犬でどれが猿であるかを調べるので
はなく、どれとどれが同じ種類であるかがわかればよいことがわかる。

条件よりE、Fは同じ種類だとわかるが、この２匹を仮に犬とおいてみると、
あと犬は１匹だけになる。

A、B、Cは同じおりに入れてはいけないから、犬と猿が混じっていること
がわかる。よって、A、B、Cのうち１匹が犬である。

同様に、B、C、Dのうち１匹が犬である。

A〜Dのうち犬は１匹だけだから、BかCのどちらかが犬である。よって、
A、Dは猿である。

また、最初にE、Fを猿と仮定した場合は、犬と猿が逆さまになるから、A、
Dが犬になる。

したがって、DとEはいずれの場合も異なる種類であるから、同じおりに
入れてはいけない。

正答……2

演　習

47　体育祭において、A〜Fの6人のうち、3人は100m走、残りの3人は400m走に出場する。次のア、イ、ウがわかっているとき確実にいえることはどれか。　[国家一般・税務職]

> ア　AとDは同じ種目に出場する。
> イ　B、C、Eは全員が一遍に同じ種目に出場はしない。
> ウ　C、E、Fは全員が一遍に同じ種目に出場はしない。

1　AとCは同じ種目に出場する。
2　AとEは同じ種目に出場する。
3　BとCは同じ種目に出場する。
4　BとFは同じ種目に出場する。
5　CとDは同じ種目に出場する。

48　A、B、C、D、Eの5人の背に赤、白いずれかの色のゼッケンをそれぞれ1枚ずつ付けた。Aのゼッケンの色とDのゼッケンの色は違っており、Bのゼッケンの色とCのゼッケンの色も違っていた。またEのゼッケンの色とAのゼッケンの色は同じであったが、Dのゼッケンの色とBのゼッケンの色は違っていた。

以上のことから判断して確実に言えるのは次のうちどれか。　[裁判所]

1　Aのゼッケンの色とBのゼッケンの色は同じであった。
2　Bのゼッケンの色とEのゼッケンの色は違っていた。
3　Cのゼッケンの色とEのゼッケンの色は同じであった。
4　Cのゼッケンの色とDのゼッケンの色は違っていた。
5　Aのゼッケンの色とCのゼッケンの色は同じであった。

49 A～Fは親しい友人で毎年都合のつく者が夏の休暇を一緒に過ごしている。彼らの好みは海と山に分かれるが、その年参加する者の多数決で行き先を決めており、山好きの者が多いときは山へ、海好きの者が多いときは海へ、同数の場合は温泉へ出かけることにしている。

ある年にはA、B、C、D、Fで山へ行った。
ある年にはA、C、D、E、Fで海へ行った。
ある年にはB、C、E、Fで温泉へ行った。
ある年にはA、E、Fで山へ行った。
このとき海好きの者は誰か。 [市町村]

1 A、B、C
2 A、C、E
3 B、C、D
4 C、D、E
5 D、E、F

50 ある野球チームには、A～Fの6人のピッチャーがいる。右投げ及び左投げの別について、次のア～エのことが分かっているとき、確実にいえるのはどれか。ただし、左右とちらでも投げられるピッチャーはいないものとする。 [東京特別区]

ア A、B、C、Dのピッチャーのうち左投げは、1人いる。
イ B、C、D、Fのピッチャーのうち左投げは、1人いる。
ウ C、D、E、Fのピッチャーのうち左投げは、1人いる。
エ A、B、D、Eのピッチャーのうち左投げは、1人いる。

1 A、Bのピッチャーは、2人とも右投げである。
2 B、Cのピッチャーは、2人とも右投げである。
3 C、Dのピッチャーは、2人とも右投げである。
4 D、Eのピッチャーは、2人とも右投げである。
5 E、Fのピッチャーは、2人とも右投げである。

例　題

赤い帽子が5つ、白い帽子が4つある。この中から教師が任意に5つとり、A～Eの5人にかぶせA、B、C、D、Eの順に縦に一列に並ばせた。彼らは自分より前にいる者の帽子の色はすべて見えるが、自分の帽子の色と自分より後ろにいる者の帽子の色はわからない。いま教師がEに自分の帽子の色がわかるかと尋ねたところ、Eは「わからない」と答えた。次に同じことをDに尋ねると、Dは少し考えてから「わかった」と言った。

以上のことよりA～Eの帽子の色の組合せとして考えられるものは、次のうちどれか。

	A	B	C	D	E
1	白	白	白	白	赤
2	赤	赤	白	白	赤
3	赤	白	白	白	白
4	赤	赤	赤	白	白
5	白	白	白	赤	赤

解　説

　Eが自分の帽子の色がわかる場合というのは、全部の帽子から前に並んでいる人の帽子を除くと、1種類の色しか残らないときである。すなわち、この場合は、前4人が白い帽子のときに限られる。しかし、Eは自分の帽子の色は「わからない」と答えているから、A～Dの4人が全員、白い帽子ということはありえない。

　次にEの答えを聞いて、Dが自分の帽子の色がわかるときというのは、A、B、Cの3人がいずれも白い帽子で、Eが自分の帽子がわかるときはDも白、Eが自分の帽子がわからなければ、Dは赤ということになる。

　なお、Eは白か赤かは判断できない。　　　　　　　　　　　　　　**正答……5**

51 白い帽子2個、赤い帽子3個のうちから任意に
1個ずつ帽子をかぶらされたA〜Dの4人が図　　　←A←B←C←D
のように←の方向を向いて一列に立っている。
次の条件があり、4人のうちで最初にDが自分の帽子の色が赤であると
論理的に推理して発言したとき、確実にいえるのはどれか。

○A〜Dは、白い帽子が2個、赤い帽子が3個あることは知ってい
　るが、自分の帽子の色については知らない。
○DからはAとBとC、CからはAとB、BからはAの各々の帽子
　が見え、Aからは誰の帽子も見えない。
○論理的に推理して自分のかぶっている帽子の色がわかった者は、そ
　の色について他の者に聞こえるように発言することとし、他の者は
　その発言を参考にすることができる。　　　　　[国家一般・税務職]

1　Aは、自分の帽子の色を当てることはできない。
2　Bは、自分の帽子の色が白のときだけ自分の帽子の色を当てること
　ができる。
3　Bの帽子の色は赤である。
4　Cの帽子の色は赤である。
5　A、B、Cの3人のうち、2人の帽子の色は白である。

52 赤３枚、黒２枚のトランプカードをＡ～Ｅの５人に見せた後、１枚ずつ渡した。各人はほかの４人が、それぞれ何色のカードをもらったかはわからない。そこで初めにＡとＢが持っているカードを見せ合ったが、２人ともほかの３人のカードの色はわからなかった。次にＣとＤが見せ合ったが、同様にわからなかった。さらに、ＢとＣが見せ合ったら、２人ともほかの３人の色が同時にわかった。以上のことからすると、５人の持っているカードの色について、次の記述のうち正しいものはどれか。

［国家一般・税務職］

1　Ａは赤でＣは黒
2　Ｂは赤でＤは黒
3　Ｃは赤でＤは黒
4　Ｄは黒でＡは赤
5　Ｅは黒でＢは赤

53 表が青いカード３枚、赤いカード２枚があることを見せた後、これを伏せてよくきり、ある人に上から順に３枚のカードの表の色を見せて、残りの４、５枚目のカードの色が分かるかと聞くと、「分かる。」と答えた。３枚の順番が狂わないようにして戻してから、別の人に上から１、３、５枚目のカードの表の色を見せて、残りの２、４枚目のカードについて同様に聞くと、「分かる。」と答えたという。以上のことから判断すると、上から２、３、４枚目のカードの色の組合せとして正しいのはどれか。

［市町村］

	２枚目	３枚目	４枚目
1	赤	赤	青
2	赤	青	赤
3	青	赤	赤
4	青	青	赤
5	青	赤	青

順位・順序（1）

例　題

A、B、C、D、E、F、Gの7人が横に一列に並び、同じ方向を向いている。

A の右2人目は B である。
B の右2人目は C である。
D の右3人目は E である。
F の右4人目は G である。

以上のことから確実にいえることはどれか。　　　　　　　　　[県・政令都市]

1　F は A の隣である。
2　D は C の隣である。
3　E は G の隣である。
4　B は E の隣である。
5　G は B の隣である。

解　説

　競争や、人や物の並び方の問題である。これは、条件を視覚的にわかりやすくするために、図で表すことが大事である。例えば、「A の右2人目は B」であれば、A ○ B　のように表す。「A は B より背が高い」であれば、A ＞ B のようにすればよい。そして、このように表された条件を組み合わせて、順位や順序を確定していく。

　また、「A と B の間には、2人いた」という条件があるときは、
　　A ○○ B　または　B ○○ A　と表し、2つに場合分けして考えるとよい。

Ⅰ
判断推理

例題の場合は、条件より次の図ができる。

A○B………………ア
B○C………………イ
D○○E……………ウ
F○○○G…………エ

ア、イより　A○B○C　となる。

① 　○○A○B○C　のとき

　ウ、エの条件を入れて、　DFAEBGC

② 　○A○B○C○　のとき

　ウの条件が入らない。

③ 　A○B○C○○　のとき

　ウ、エの条件を入れて、　AFBDCGE

以上より、①と③の両方に共通するのは、選択肢1の「FはAの隣である。」

正答……1

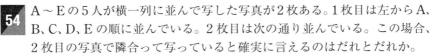

54 A～Eの5人が横一列に並んで写した写真が2枚ある。1枚目は左からA、B、C、D、Eの順に並んでいる。2枚目は次の通り並んでいる。この場合、2枚目の写真で隣合って写っていると確実に言えるのはだれとだれか。

[県・政令都市]

　A～Eの5人とも1枚目の写真と同じ位置で写っている者はいない。
　AとCの間には1人いる。
　BとDの間には2人いる。

1　AとB
2　AとE
3　BとC
4　CとD
5　DとE

55 ある日曜日から始まる1週間の曜日A、B、C、D、E、F、Gには次のような関係がある。

a　Eの翌日はFである。
b　Gは日曜日でなく、Fは金曜日でない。
c　CはAとGの間にある。
d　DとFの間には3日ある。
e　Dの前日はBである。

以上のことから判断して水曜日は次のうちどれか。　　　　　[裁判所]

1　A
2　B
3　C
4　D
5　E

56 年齢の異なる男女A～Fがおり、このうちのA～Eは年齢について次のように言っている。

A：私より年上の女性は2人です。
B：私より年上の男性は2人、女性は1人です。
C：私より上には男性が2人いるだけです。
D：私より下には女性が1人いるだけです。
E：私より上には男性が1人いるだけです。

このとき確実にいえるのはどれか。　　　　　　　　　　　[市町村]

1　Aより年下の男性がいる。
2　AとFは同性である。
3　BとDは異性である。
4　CとEは同性である。
5　年齢順に並ぶとDの前後は女性である。

例　題

DはBより背が高く、AはEより高い。またCはAより高く、FはEより高い。

以上より、正しくいえるのは、次のうちどれか。　　　　　［県・政令都市］

1　EはCより低い。
2　EはDより低い。
3　CはBより低い。
4　AはFより低い。
5　FはAより低い。

解　説

　「AはBより高い」とか、「AはBより速い」などの表現が使われているときは、A＞Bのように不等号で表すとよい。そして、A＞B、B＞Cという2つの条件があれば、A＞B＞Cのようにつなげていくのが基本である。また、混乱しないように、不等号の向きは統一して使った方がよいだろう。

　例題の場合は、条件を不等号を使って表すと次のようになる。

D＞B

A＞E ⎫
C＞A ⎭ →C＞A＞E

F＞E

以上より、EがCより低いことがわかる。　　　　　　　　　　　**正答……1**

57　背丈の違うA～Eの5人の兄弟がいる。

　　　AはC、Dよりも低い。
　　　BはCよりも低いが、Dよりは高い。
　　　CはEよりも高い。

以上のことから確実にいえるものはどれか。　　　　　　　　　　[警察官]

　1　Aは5人のなかで最も低い。
　2　Bは5人のなかで2番目に高い。
　3　Cは5人のなかで最も高い。
　4　DはEよりも低い。
　5　Eは5人のなかのちょうど中間である。

58　A～Fの6人がその身長を比べたところ、次のことが分かった。

　　　AはDより低い。
　　　CはEとFより高い。
　　　BはFより低い。
　　　EはBより高い。

このことから、身長の最も高い人と最も低い人の2人が分かるためには、
次のうちではどのことが分かればよいか。　　　　　　　　　　[警察官]

　1　AはEより高い。
　2　BはAより低い。
　3　FはAより高い。
　4　DはEより低い。
　5　AとCは同じ高さである。

59 A〜Eの5人が自転車競争をして、ゴールに早く着いた順に順位を付けた。A〜Dの4人が自分の順位について、

A：私はB、C、Eより先にゴールに着いた。
B：私はEより先にゴールに着いた。
C：私はBより後にゴールに着いた。
D：私はCより後にゴールに着いた。

と発言したとき、Eが次のどの発言をすれば各人の順位がわかるか。
ただし、同時にゴールに着いた者はいなかったものとする。

[国家一般・税務職]

1　私はA、Cより後にゴールに着いた。
2　私はB、Cより後にゴールに着いた。
3　私はDより先にゴールに着いた。
4　私はCより先にゴールに着いた。
5　私より先にゴールに着いた者は2人以上いる。

例 題

運動会のリレー競走で参加した5つのチームの最終走者A〜EのうちA、B、D、Eは競技終了後次のように語った。
　A　「私は2人に追い抜かれて3着になった。」
　B　「私は3人を追い抜いて1着になった。」
　D　「私は1人追い抜かれたが1人追い抜いて2着になった。」
　E　「私は1人追い抜いて4着になった。」

以上のことから判断してA〜Eの5人がバトンを受けたときの順序として
正しいのは次のうちどれか。　　　　　　　　　　　　　　　[裁判所]

1　ADCBE
2　ACDBE
3　CADBE
4　CDBAE
5　DEBAC

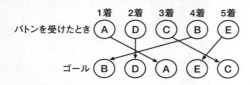

・Aは2人に追い抜かれて3着だから、1着から3着になった。

・Bは3人を追い抜いて1着だから、4着から1着になった。

・Dは1人追い抜かれたが1人追い抜いたので、順位は変わっていない。よって、バトンを受けたときも2着。

・Eは1人追い抜いて4着だから、5着から4着になった。

・残った着順がCだから、バトンを受けたときが3着、ゴール時が5着である。

正答……1

演　習

60 A組からF組までの6クラスでクラス対抗スポーツ大会を行ったところ、卓球についてはB組が優勝し、D組が最下位だった。この卓球の結果はバレーボールの結果にくらべると、①〜⑤のとおりであった。

①A組は1つ順位が下がった。

②B組は2つ順位が上がった。

③C組は4つ順位が下がった。

④D組は1つ順位が下がった。

⑤E組は順位が変わらなかった。

バレーボールの優勝、最下位のクラスの組合せとして正しいのは、次のうちどれか。

[裁判所]

	優勝	最下位
1	A組	D組
2	A組	F組
3	C組	B組
4	C組	F組
5	D組	B組

61 A〜Eの5台の車がレースをしている。A、C、Dは赤、B、Eは黒の車で、レースの途中の順位はC、E、A、B、Dであった。その後、ゴールまでに次のような変化が順に起こった。

・EがCを追い越した。
・黒の車が赤の車を1台追い越した。
・黒の車が赤の車を1台追い越した。
・赤の車が赤の車を2台追い越した。
・赤の車が黒の車を2台追い越した。

このとき最終順位は、次のうちどれか。　　　　　　　　　［福岡市現業］

1　BCAED
2　BCDAE
3　BEDCA
4　DBCEA
5　DEBCA

62 A～Eの5人が長距離走を行ったところ、中間地点とゴールにおける順位に関する状況は次のとおりであった。これから確実にいえるものはどれか。ただし、中間地点を同時に通過した者もゴールに同時に到着した者もいなかった。

○ Aはゴールにおいては中間地点よりも順位が一つ上がったものの、Dよりも順位が下だった。
○ BはゴールにおいてはEよりも順位が下だった。
○ Cは中間地点では2位だったが、ゴールでは3位となった。
○ Dは中間地点では4位だった。
○ Eはゴールにおいて中間地点よりも順位が上がったものの、Dよりも順位が下だった。 ［国家一般・税務職］

1 AはゴールにおいてCよりも順位が一つ上だった。
2 Bは中間地点において1位だった。
3 CはゴールにおいてDよりも上位だった。
4 Dはゴールにおいて2位だった。
5 Eは中間地点において5位だった。

63 A～Eの5人でボーリングのゲームを行った。第9フレーム終了時のスコアは、高い方からC、D、A、E、Bであった。最後の第10フレームの状況についてA、C、D、Eは次の様に述べている。

A だれも追い越さなかった。
C 3人に追い越された。
D 1人追い越したが、1人に追い越された。
E 2人追い越した。

Bの最終的な順位は次のうちどれか。 ［国家一般・税務職］

1 第1位
2 第2位
3 第3位
4 Dより下位
5 他より下位

家族関係

例題

A～Fの6人は血族で、その関係は次のとおりである。

「AはBの父親である。」

「CはAの姉の娘である。」

「DはBのいとこである。」

「DはEの母親である。」

「FはAの父親である。」

以上のことからFはEの何に当たるか。　　　　　　　　　[県・政令都市]

1　母親のおじ　2　おじ　3　祖父の兄　4　祖父　5　曽祖父

解説

正しく家系図を書くことがポイントである。

家系図の書き方の基本は次の3つだけである。

・親子　　　・きょうだい　　　・夫婦

A　　　　　┌──┐　　　　　E ＝ F
│
B　　　　　C　　D

※夫婦であるG、Hの間に子供Iがいる場合は右のように書く。　　G ＝ H
I

　例題のような問題では、条件をそれぞれ家系図で表し、それをつなぎ合わせて全体を完成すればよい。

　「AはBの父親である」、「CはAの姉の娘である」より、図①ができる。「DはBのいとこである」、「DはEの母親である」より、図②ができる。「FはAの父親である」と図①、②を合わせると図③か図④のようになる。

①　┌──────┐
　　○女　　A男
　　│　　　　│
　　C女　　B

②　┌──────┐
　　○　　　　○
　　│　　　　│
　　D女　　B
　　│
　　E

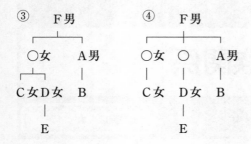

③
```
        F男
   ┌─────┴─────┐
  ○女         A男
 ┌──┴──┐        │
C女  D女       B
       │
       E
```

④
```
        F男
   ┌───┬───────┐
  ○女  ○      A男
   │   │       │
  C女  D女      B
       │
       E
```

FはEの曽祖父である。   正答……5

演 習

64

A：子は2人で、孫が4人います。
B：Aは祖父で、Eはいとこです。
C：Bはおいで、Gは次女です。
D：Fは長女で、Eはめいです。
E：Dはおばで、Cは父です。

A、B、C、D、E、F、Gの7人は親族であるが、そのうち5人がそれぞれの関係について、上のように述べた。以上から判断すると、Aの孫の性別およびその人数として正しいのは次のうちどれか。　　　　[裁判所]

1　男1人、女3人
2　男2人、女2人
3　男3人、女1人
4　男4人
5　女4人

65 A～Hの8人は血族で、ア～オの関係がある。

　ア　AとD、BとCは兄弟である。
　イ　EとFは兄弟で、Aの子供である。
　ウ　GはDの妹で、独身である。
　エ　BはDの息子である。
　オ　HはFの従弟の子供である。

以上のことよりFとHの関係として正しいものは次のうちどれか。

[国家一般・税務職、県・政令都市]

1　HはFのおじの孫
2　HはFのおばの孫
3　HはFの兄の妹の子
4　HはFの父の兄妹の子
5　HはFのおいの子

66 Aの家族及び親類はB～Jの9人で、Aからみた関係は図のようになっている。これらについてア～エのことが分かっているとき、確実にいえるのはどれか。

　ア　Bは、Iの義理の妹である。
　イ　Hの夫であるDは、Aのおじである。
　ウ　Eは、Aの祖母である。
　エ　Fの娘の夫であるCは、Gの実の兄である。　　[国家一般・税務職]

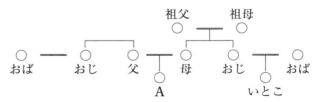

1　BとCは夫婦である。
2　BとGは夫婦である。
3　CはEの実の息子である。
4　DはCの実の弟である。
5　JはIの実の娘である。

順位・順序（2）

例　題

あるクラスでテストを行ったところ、Aは平均点より12点高く、BはCより6点低く、Eより4点高かった。DはCより14点低く、AはEより18点高かった。以上のことより判断して正しくいえるものはどれか。

[県・政令都市]

1　CはAより高い得点である。
2　平均点より高いのはA、B、Cである。
3　Dは平均点より10点低い。
4　Bはちょうど平均点である。
5　最も得点が高いのはAで、最も低いのはEである。

解　説

数直線に基準になる点（上の例では平均点）を設け、それに基づいて、他の点を調べればよい。

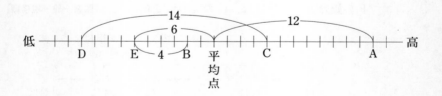

以上より、Dは平均点より10点低いことがわかる。　　　　　　　　正答……3

演 習

 67 一家5人がバスの乗り場で待ち合わせをした。

兄は弟より4分遅れて父より14分早く乗り場に着いた。妹は父より6分早く着いたが、発車予定時刻に5分遅れた。母はバスが予定より6分遅れたにもかかわらず、発車時刻に3分遅れた。以上より正しくいえるものはどれか。　　　　　　　　　　　　　　　　　　　　　　[警察官]

1　兄は発車予定時刻より、5分早く乗り場に着いた。
2　母は兄より12分遅く乗り場に着いた。
3　父は発車予定時刻より、3分早く乗り場に着いた。
4　バスに乗り込めたのは、結局2人であった。
5　バスが発車予定時刻に発車したなら、バスに乗れたのは1人であった。

 68 A～Eの5人が、座席を予約した列車に間に合うように駅で待ち合わせた。5人の到着状況は次のとおりであるが、これから確実にいえるのはどれか。　　　　　　　　　　　　　　　　　　　　[国家一般・税務職]

　　○　Bは集合時刻より3分早く着いた。
　　○　CはDより5分早く着いた。
　　○　Dは発車時刻より1分早く着き、Bより7分遅く着いた。
　　○　Eは集合時刻より2分遅く着き、Aより早く着いた。

1　C、B、E、A、Dの順に着いた。
2　Eは発車時刻より2分早く着いた。
3　発車時刻は集合時刻の8分後である。
4　BはCより5分早く着いた。
5　DはEより2分遅く着いた。

69 A ～ D の 4 人が互いの腕時計を見せ合ったところ、A は 9 時 57 分、B は 10 時、C は 10 時 3 分、D は 10 時 2 分だった。そこで、正しい時刻と比べたところ、1 分差、2 分差、3 分差、4 分差がそれぞれ 1 人ずついることが分かった。このとき、A ～ D の時計と正しい時刻の関係について正しくいえるのはどれか。

［市町村］

1 A の時計は 4 分遅れている。
2 B の時計は 1 分遅れている。
3 B の時計は 1 分進んでいる。
4 C の時計は 3 分進んでいる。
5 D の時計は 4 分進んでいる。

■ 例 題

A ～ E の 5 人のうち、最年長者である B は 42 歳で、2 番目とは 5 歳離れている。C は 30 歳で、A、D、E とそれぞれ 3 歳、2 歳、7 歳離れており、A ～ E の平均年齢は 34 歳である。次のうち、確実にいえるものはどれか。

［国家一般・税務職］

1 A は 27 歳で最年少。
2 B と A は 9 歳離れている。
3 B と D は 10 歳離れている。
4 E は 23 歳で最年少。
5 C は 3 番目である。

■ 解 説 ■

5 人のうち、2 人は年齢がわかっているが、あとの 3 人は年齢の差しか示されていない。このようなときは、場合分けもそれほど大変ではないので、可能性のある年齢を書き出して、条件に合う組合せを選べばよい。

B = 42（歳）で、2 番目は 37 歳である。
C = 30（歳）
A = 33 or 27（歳）
D = 32 or 28（歳）
E = 37 or 23（歳）
2 番目は 37 歳であるが、これに該当するのは、E だけであるから、E は 37 歳。

次にA〜Eの平均年齢が34歳だから、この5人の年齢の合計は、

A＋B＋C＋D＋E＝34 × 5 ＝ 170（歳）。

これから、B、C、Eの年齢を引くと、AとDの年齢の合計がわかる。

A＋D＝170 －（42 ＋ 30 ＋ 37）＝ 61（歳）。

A＋Dで、61歳になる組合せは、A ＝ 33（歳）、D ＝ 28（歳）のときだけである。 正答……2

演 習

70 A〜Eの5人の平均身長は170 cmである。最も背が高いのは176 cmのBで、次に背が高い者との差は2 cmである。また、Cは167 cmで、CとA、D、Eとの身長差はそれぞれ4 cm、5 cm、7 cmである。以上のことからいえることとして正しいのはどれか。 ［国家一般・税務職］

1　Aは163 cmで、最も背が低い。
2　AとBの身長差は、5 cmである。
3　BとDの身長差は、10 cmである。
4　Cの身長は、高いほうから3番目である。
5　Eは160 cmで、最も背が低い。

71 調査課の職員A〜Eの5人が190件の調査を分担することになった。分担する件数は、Cが47件で最も多く、次に多かった者との差が5件であった。また、Dは35件で、A、B、Eとの差がそれぞれ4件、7件、8件であった。
以上のことからいえることとして正しいのはどれか。 ［入国警備官］

1　Aは31件で最も少ない。
2　BとCの差は19件である。
3　CはEより20件多い。
4　Dの件数は3番目に多い。
5　Eの件数は5人の平均より多い。

72 AはBより年上でCより年下である。Dは25歳でEよりも5歳年下である。BとEとは8歳違い、FはAより2歳年上でEとは5歳違う。これらのことから確実にいえるのは次のうちどれか。　　　　　[大阪府]

1　CはEより年下である。
2　EはAより年下である。
3　FはBより年上である。
4　CはFより年上である。
5　DとFは同年齢である。

例　題

A～Eの5人について次のことがわかっている。AとBは年齢が4つ違い、BとCは2つ、CとDは1つ、DとEは1つ、EとAは2つ、それぞれ年齢差がある。このとき確実にいえることはどれか。

1　最年長者はAまたはCである。
2　2番目に年が多いのはDまたはEである。
3　3番目に年が多いのはBである。
4　4番目に年が多いのはCまたはEである。
5　最年少者はBまたはCである。

解　説

「AとBは年齢が4つ違い」のように上下関係を示さずに、差だけが示されている場合は、樹形図を機械的にすばやくつくって、条件に合うものを探せばよい。

Aを基準にして、各人がAに対していくつ年上か、年下かという図をつくる。

「AとBは4つ違い」より、図①のようになる。

「BとCは2つ」、「EとAは2つ」違うことから、図②のようになる。

① （樹形図）
A ─ B+4 ─ 0
A ─ B-4

② （樹形図）
+2 E / A \ B+4 < C+6 / C+2
-2 E   B-4 < C-2 / C-6 ─ 0

　「CとDは1つ」、「DとE
は1つ」違うことから、図③
のようになる。
　ここで左右のDの値が一致
しているものが条件に合って
いる。

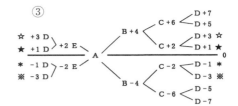

　図③より、考えられる組合せを表にすると、次のようになる。

D	E	A	B	C
+3	+2	0	+4	+2
+1	+2	0	+4	+2
-1	-2	0	-4	-2
-3	-2	0	-4	-2

正答……2

演　習

 73　A〜Eの5つの玉があり、次のア〜オのことがわかっている。

　ア　AとBの差は2gである。
　イ　AとCの差は6gである。
　ウ　BとDの差は7gである。
　エ　CとEの差は9gである。
　オ　DとEの差は6gである。

以上より、正しくいえるものはどれか。　　　　　　　　［刑務官］

1　AとDの差は9gである。
2　AとEの差は3gである。
3　BとCの差は8gである。
4　BとEの差は13gである。
5　CとDの差は3gである。

74 A～Eの５人の年齢について、次のことが分かっている。　　　　　[警察官]

　　AとEは三つ違いである。
　　BはCより二つ下である。
　　BとDは九つ違いである。
　　DはAより二つ上である。
　　EとCは二つ違いである。

　５人を年齢の上から下へ順に並べると、次のどれになるか。

1　D - A - C - B - E
2　E - C - D - B - A
3　C - B - D - A - E
4　D - A - E - C - B
5　E - D - A - C - B

75 A～Eの５人が同じ日に同じ仕事を始めたが、仕事を終えた日はまちまちで、次のことがわかっている。このとき、仕事を早く終えた者から遅く終えた者へ、正しい順序で並べてあるのはどれか。　　　[県・政令都市]

　　Bが終えた日とCが終えた日は３日違いだった。
　　CはAより６日前に終えた。
　　DはAより２日前に終えた。
　　Dが終えた日とEが終えた日は５日違いだった。
　　Bが終えた日とEが終えた日は６日違いだった。

1　E、C、B、D、A
2　C、B、D、A、E
3　C、D、B、E、A
4　B、D、C、A、E
5　B、E、C、D、A

例　題

AとBは正午に目的地で会うために、家を出た。Aは自分の時計が3分遅れていると思い、少し早めに家を出たが、途中で通行止めにあったため、10分遅れて着いたと思った。Bは、自分の時計が9分進んでいると思っていたので、目的地に着いたときに自分の時計を見て、ちょうど約束の時刻に到着したと思った。ところが実際には、Aの時計は5分進み、Bの時計は6分遅れていた。実際には、AとBのうち、どちらがどれだけ遅れて目的地に着いたか。

1　BがAよりも13分遅れて着いた。
2　BがAよりも9分遅れて着いた。
3　AがBよりも5分遅れて着いた。
4　AがBよりも9分遅れて着いた。
5　AがBよりも13分遅れて着いた。

解　説

　時計が実際の時間よりも進んでいたら、時計の指している時刻から進んでいる分を引いて考え、遅れているときは時計の指している時刻に遅れている分を加えて考える。
　実際に問題にあたってみると、混乱しやすい問題であるので、表を作成して慎重に解いた方がよい。
　目的地に着いたと思った時刻は、
　　A　12：10　　　B　12：00
　Aは自分の時計が3分遅れていると思い、Bは自分の時計が9分進んでいると思っていることから、A、B両者の時計の指していた時刻は、
　　A　12：07　　　B　12：09
　実際には、Aの時計は5分進み、Bの時計は6分遅れていたから、A、B両者が目的地に着いた時刻は、
　　A　12：02　　　B　12：15
　以上のことを次のような表で考えていくとよい。

	着いたと思った時刻	それぞれが思っている時計のずれ	指していた時刻	実際の時計のずれ	実際の到着時刻
A	12：10	3分遅れ	12：07	5分進み	12：02
B	12：00	9分進み	12：09	6分遅れ	12：15

正答……1

76 A、B、Cの3人は、午前9時に集合することを約束して、集まったところ、AはCよりも3分早い午前8時55分に着いた。この時、Aの時計は午前9時2分前であった。CはCの時計で約束の時刻より4分遅く、BはBの時計で、午前9時3分にそれぞれ到着した。Cの時計はBの時計より5分進んでいた。以上から判断して、正しいのは次のうちのどれか。

[裁判所]

1　AはBより5分早く着いた。
2　Bの時計だけが正しい時刻より遅れていた。
3　Cの時計は、Aの時計より3分進んでいた。
4　Cの時計は正しい時刻より7分進んでいた。
5　AはCの時計で午前9時に到着した。

77 A、B、Cの3人が10時に駅で待ち合わせることにした。3人の到着した状況が次のとおりであったとすると、正しいのはどれか。

[国家一般・税務職]

・AはBより6分早く9時55分に到着し、このときAの時計では9時58分であった。
・Bは自分の時計で10時3分に到着した。
・Cは自分の時計で10時5分に到着した。
・Bの時計はCの時計より4分進んでいた。

1　BはAの時計で10時2分に到着した。
2　Aの時計はBの時計より5分進んでいた。
3　AはCの時計で9時53分に到着した。
4　Bが一番遅く到着した。
5　CはAの時計で10時8分に到着した。

78 A、B、Cの3人は一緒に食事をするため18時にレストランで会うことにした。3人は自分の時計をもとに次のように発言した。3人の時計は後で確認したところ一致していなかった。なお、レストランの時計は正確であった。A、B、Cの発言から正しくいえるのはどれか。
ただし、それぞれの時計の1分ごとの刻みは同一とする。

　A：私は約束の時刻の5分前に着き、Cは約束の時刻に着いた。
　B：私は約束の時刻の10分前に着いたと思ったが、レストランの時計では17時55分であった。
　C：私は約束の時刻より5分遅れたと思ったが、Bは「僕の時計ではまだ2分前だ」と言った。　　　　　　　　　　　［国家一般・税務職］

1　AはCの時計で17時58分に着いた。
2　AはBより3分遅く着いた。
3　Bの時計はレストランの時計より3分遅れていた。
4　CはBより6分遅く着いた。
5　Cの時計はAの時計より4分遅れていた。

┌─ **例 題** ───

登校前に自宅の時計を見ると7時55分であったが、腕時計を見ると8時ちょうどを指していた。学校で正午の時報が鳴ったとき、腕時計を見ると12時ちょうどであった。帰宅時刻は自宅の時計で17時13分であったが、このとき腕時計を見ると17時ちょうどであった。
正午の時報が鳴ったとき、自宅の時計は何時を指していたか。
ただし、自宅の時計と腕時計はそれぞれ一定のペースで時を刻んでいるものとする。　　　　　　　　　　　　　　　　　　　［海上保安等］

1　12時1分
2　12時2分
3　12時3分
4　12時4分
5　12時5分

───

　2種類以上の時計が出てくる問題。1秒1秒の間隔が正確で、単にそれぞれの時計の時刻がずれているだけのパターンと一定のペースで時は刻まれているが、1秒1秒の間隔が時計ごとに異なるパターンとがあるのでそれを見分けるのが大事。

　自宅の時計と腕時計で同じ時刻のものを横線で結ぶと下図のようになる。

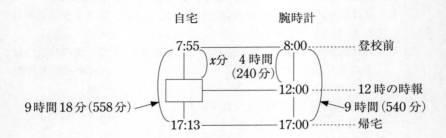

　登校前から帰宅までの時間は、自宅の時計で9時間18分（558分）、腕時計で9時間（540分）であるから、二つの時計は進むペースが明らかに異なる。進むペースの比は、

　自宅の時計：腕時計 =558:540=31:30

　登校前から12時の時報までの時間は、自宅の時計で x 分とおくと、腕時計では4時間（240分）だから、次の比がなりたつ。

　x:240=31:30

　これを解いて、　$x = \dfrac{240 \times 31}{30} = 248$（分）

　248分は4時間8分だから、登校前の自宅の時計の時刻7時55分にそれを足しあわせると、12時3分となる。

正答……3

演 習

79 友人がAの家に遊びに来たとき、Aの腕時計は午後5時10分をさしており、掛時計は午後5時15分をさしていた。談話中にテレビが午後6時の時報を知らせたとき、Aの腕時計は同じく午後6時ちょうどをさしていた。Aの腕時計で午後7時40分に友人が帰宅したが、このとき掛時計は午後7時51分をさしていた。テレビが午後6時の時報を知らせたとき、掛時計は何時何分をさしていたか。

なお、腕時計と掛時計はそれぞれ一定の速さで動くものとし、途中で止まることはなかった。　　　　　　　　　　　　　　　　　　　　[海上保安等]

```
1   午後6時6分
2   午後6時7分
3   午後6時8分
4   午後6時9分
5   午後6時10分
```

80 A君は午前8時30分に出勤した。その日の午前10時から正午まで会議が予定されており、会社の時計で10時に始まった。このときA君の時計は10時10分だった。A君が用のために途中会議室より退室した時、自分の時計では10時50分を指していた。しかし、A君が会議室にもどった時もA君の時計が10時50分を指していたので、止まっていることに気付いた。会議室には時計がないので、となりの人から見せてもらうと、11時5分だった。会議が終わった時、となりの人の時計は11時40分だったが、会社の時計では予定の時間の2割残っていた。

会社の時計もA君の時計もとなりの人の時計も、動いている時は正確な間隔で刻んでいるとすると、A君が自分の時計が止まっていると気付いた時は、もしA君の時計が動いているとすると、何時を指しているか。

　　　　　　　　　　　　　　　　　　　　　　　　　　　　　　[裁判所]

```
1   10時56分
2   11時1分
3   11時6分
4   11時11分
5   11時16分
```

I - 9

比較

出題頻度　★★★★

例　題

ある袋の中に48個の玉があり、色は赤、青、白の3種類である。まず最初にAが袋の中から24個とった。うち16個は赤玉である。次にBがいくらかとったところ、玉の色は青と白だけであった。最後のCには8個の同色の玉だけが残った。また、AからBに8個の青玉をやったところ、Bの青玉と白玉は同じ数になった。最初にあった玉の個数として、正しいものはどれか。答えの数字は赤、青、白の順である。　　　　　[県・政令都市]

1	24	12	12
2	20	16	12
3	20	12	16
4	18	16	14
5	16	8	24

解　説

数表をつくって解答していくが、問題に合った表を作らなければ効率が悪い。

・Aが24個とり、そのうち16個は赤玉。

・Bの玉は青と白だけ。

・Cは8個。→Bは16個。

　以上より、表①ができる。

・AからBに8個の青玉をやった。→Aは赤が16、

　合計が16だから、青、白は0個。

・Bの青玉と白玉は同じ数。→Bの青、白は12個。

①

	赤	青	白	計
A	16			24
B	0			16
C				8
計				48

以上より、表②ができる。

Cは同色が8個だから、各色の玉の個数は表③のように3とおりが考えられる。

この中で、選択肢にあるのはⅠだけである。

正答……1

②

	赤	青	白	計
A	16	0	0	16
B	0	12	12	24
C				8
計				48

③

	赤	青	白
Ⅰ	24	12	12
Ⅱ	16	20	12
Ⅲ	16	12	20

演 習

81 ある高校の事務部門には、教務課、生徒課、総務課の3課があり、課長3人、課員27人の計30人の職員がいる。課員の数が最も多いのが教務課で、総務課が最も少ない。女性職員は教務課は4人、生徒課2人、総務課7人であるが、女性の課長はいない。また、男性の課員のいない課はない。以上のことからいえることとして正しいのはどれか。　　［警察官］

1　教務課の総数は課長以下13人である。

2　教務課の男性は生徒課より多い。

3　生徒課の男性の課員は7人である。

4　総務課の男性の課員の数は偶数である。

5　この高校の男性の事務職員は20人以上いる。

82 男女5人ずつの計10人のグループがある。このグループについてア〜カのことがわかっているとき、確実にいえるのはどれか。

［国家一般・税務職］

	20歳以上である		20歳未満である	
男性	①	②	③	④
女性	⑤	⑥	⑦	⑧
	兄がいない	兄がいる		兄がいない

ア　20歳以上の者は5人である。（図中①②⑤⑥の合計にあたる）

イ　20歳以上の者で兄のいるのは2人である。（図中②⑥の合計にあたる）

ウ　20歳未満の者で兄のいないのは3人である。（図中④⑧の合計にあたる）

エ　兄のいる男性は2人である。（図中の②③の合計にあたる）

オ　20歳以上の者で女性は2人である。（図中⑤⑥の合計にあたる）

カ　20歳未満の女性で兄のいる者は1人である。（図中⑦にあたる）

1　20歳以上の男性で兄のいない者は2人である。

2　20歳未満の者で男性は3人である。

3　20歳以上の女性で兄のいない者は2人である。

4　20歳未満の女性で兄のいない者は1人である。

5　兄のいる女性は3人である。

83 15人の者がおり、年齢は15〜17歳で、各人はスポーツ、音楽、読書のいずれか一つが好きである。

17歳の者は5人で、その中にスポーツ好きはいない。

16歳の者の中には音楽好きが2人、スポーツ好きはそれより多いが読書好きはいない。

15歳の者の中には音楽好きはおらずスポーツ好きは読書好きより2人多い。

音楽好きの者の総数と読書好きの者の総数は同じである。

以上のことから考えて次のうちから正しいのはどれか。　　[県・政令都市]

1　15歳でスポーツ好きの者と、17歳で読書好きの者は同人数である。
2　音楽好きの者と読書好きの者は3人ずつである。
3　16歳の者の中では、スポーツ好きは音楽好きより1人多い。
4　スポーツ好きの者は総数9人である。
5　17歳で音楽好きの者は16歳で音楽好きの者より多い。

例　題

A、Bはグーで勝てば1点、パーで勝てば2点、チョキで勝てば3点を得、負けとあいこは0点というルールで、じゃんけんを7回したところ次のようであった。

　Aは3回勝ち、そのうちにはチョキの勝ちもある。
　Bは2回勝った。
　各自の合計得点は同じであった。

以上のことから、確実にいえるのは次のうちどれか。　　[市町村]

1　Aはパーでもに勝った。
2　Aは2回チョキでBに勝った。
3　Aはグーでもに勝った。
4　Bはパーでもに勝った。
5　Bは2回ともチョキでAに勝った。

Aの合計得点で最も低い場合は、

　チョキ、グー、グー：3 + 1 + 1 = 5点

Aの合計得点で最も高い場合は、

　チョキ、チョキ、チョキ：3 + 3 + 3 = 9点

したがって、Aの合計得点は5～9点である。

Bの合計得点で最も低い場合は、

　グー、グー：1 + 1 = 2点

Bの合計得点で最も高い場合は、

　チョキ、チョキ：3 + 3 = 6点

したがって、Bの合計得点は2～6点である。

2人の合計得点は同じだから、5点か6点であることがわかる。

そこで、それぞれの場合について考えてみると次のとおり。

①5点のとき

　A　チョキ、グー、グー：3 + 1 + 1 = 5点

　B　チョキ、パー：3 + 2 = 5点

②6点のとき

　A　チョキ、パー、グー：3 + 2 + 1 = 6点

　B　チョキ、チョキ：3 + 3 = 6点

以上より、Aは少なくとも1回はグーで勝ったことがわかる。

正答……3

演　習

84 12個のケーキをAに5個、Bに4個、Cに3個分けたところ、次のようになった。このことから確実にいえるのはどれか。

[国家一般・税務職]

○　3人のうち2人が食べきらず、1人が食べ残した個数は、もう1人が食べ残した個数の2倍であった。
○　AとBは、ともにCの3倍以上食べた。
○　3人とも1個以上は食べた。

1　食べた個数が最も多い者と最も少ない者とでは、4個の差がある。
2　AはBより、BはCより多く食べた。
3　Aが食べた個数とBが食べた個数の差は、2個である。
4　Bは4個とも食べた。
5　残した個数はCが最も多い。

85 白12枚、黒13枚、計25枚のカードをA～Eの5人に5枚ずつ配った。この配られたカードのうち、白いカードの枚数を比較したところ、次のア～エのことがわかった。

ア　CはEより多い。
イ　BとEは同じである。
ウ　DはAより多い。
エ　AはBより少ない。

以上のことから判断して、確実にいえるのはどれか。　　[国家一般・税務職]

1　Aが白いカードを1枚持っているならば、Eは白いカードを2枚持っている。
2　Bの持っている白いカードは、2枚以下である。
3　Cが白いカードを4枚持っているならば、Bは白いカードを2枚持っている。
4　Dは白いカードを2枚以上持っている。
5　Eの持っている白いカードの枚数は、Dのそれよりも少ない。

86 A～Hの8人がりんごを次のような数でもっている。

A ＞ B ＞ C ＝ D ＞ E ＝ F ＞ G ＞ H
Aは10個、Hは1個、りんごは全部で38個ある。

これらのことから確実に言えるのは次のどれか。　　　　　　　［県・政令都市］

1　Cは5個か6個もっている。
2　Bは8個以上で、7個以下ではない。
3　Eは3個もっている。
4　DはEより2個以上多くない。
5　BとEの差は3個以下である。

例　題

1組（52枚）のトランプから表が見えないようにしてカードを引き抜くとき同じ数のカード2枚を確実に引き抜くには最低何枚のカードを引き抜けばよいか。

［国家一般・税務職］

1　　8枚
2　12枚
3　13枚
4　14枚
5　26枚

解　説

　このような問題は考える道筋がつかみにくく、少々難しい。そこで、少し問題を変えて考えるとよい。例題の場合は「同じ数のカード2枚を確実に引き抜くには最低何枚のカードを引き抜けばよいか。」というのを「同じ数のカードを含まないようにして、最高何枚まで引き抜くことができるか。」と変えて考える。そして、その答えにあと1枚加えてやれば、元の題意どおりの答えになる。

　同じ数のカードがそろわないようにして、カードを引いていった場合、1から13まで1枚ずつの合計13枚が引ける枚数の最高である。したがって、これにあと1枚でも加えれば必ず同じ数のカードが2枚あることになる。

正答……4

78

演 習

87 同じ形の金、銀、プラチナのイヤリングがそれぞれ9組（18個）、合計27組(54個)ある。これらをばらばらにして1つの袋の中に入れた。いま、中の見えないこの袋からイヤリング何個かを一度に取り出して、イヤリング10組（20個）を確実にそろえるためには、最低何個のイヤリングを取り出せばよいか。

[国家一般・税務職]

1 21個
2 22個
3 24個
4 30個
5 36個

手順

出題頻度 ★★★

例 題

大きさと形の等しいおもりが9個ある。そのうちの1個だけが他よりも軽い物質でできていることがわかっている。いま上皿天秤を使ってその1個を確実に選びだしたい。天秤を最低何回使用すればよいか。

1　1回　　　2　2回　　　3　3回　　　4　4回　　　5　5回

解 説

「手順」はどういう手順で物事をすすめれば目的が達成できるかを問う問題である。最良の手順を探すもの、問題で指定された作業を行うものなど、たくさんのパターンがあり、類型化は難しいが、ここでは最良の手順を探すタイプの問題を扱う。天秤、吊り橋・渡し舟、碁石を取り合うゲーム、目盛りのない油壺、ハノイの塔などはその典型的な問題である。

例題は、重さの等しいおもりがいくつかあって、その中に1つだけおもさの異なるものが入っているという問題で、全部のおもりを3グループに分けて天秤にかけるのが基本である。

9個のおもりの中から任意の6個を取り出して、3個ずつ天秤にのせる。

A　つりあう時

①

つりあう→残りの3個
の中にある。

②残りの3個のうち2個を天秤にかける。
つりあうとき
は残りの1個、
つりあわない
ときは軽い方が
めざすおもり
である。

つりあう→残りの1個

軽い方がめざすおもり

B　つりあわない時

①

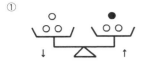

つりあわない
▽
軽い方の3個の中に
めざすおもりはある。

②軽い方の3個のうち2個を天秤にかける。
つりあうとき
は残りの1個、
つりあわない
ときは軽い方が
めざすおもり
である。

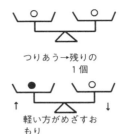

つりあう→残りの
1個

軽い方がめざすお
もり

　また、見かけが同じおもりがいくつかあり、その中にひとつだけ重さが軽い
（または重い）ものが混じっていることが事前に分かっているときには、天秤
を用いる最低回数は次の式の n になる。

　　全体の個数が k 個のとき　　　$3^{n-1} < k \leqq 3^n$　　　　　　　　正答……2

演　習

88
図のように1枚の板にA、B、C 3本の
棒が立っており、その中のAに3枚の異
なる大きさの円盤がさしてある。この円
盤を棒Bに次のルールで移すとき、最も
少ない回数はどれか。1枚の円盤を棒へ
移すことを1回と数えるものとする。

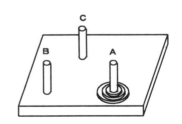

[海上保安等]

　○上から順に1枚ずつ移す。
　○円盤は常に大きい方が小さい方より下にあるようにする。

　　1　　6 回
　　2　　7 回
　　3　　8 回
　　4　　9 回
　　5　　10 回

89 6袋の薬包みがあり、そのうち1袋は量を誤って包装したという。天秤のみを使用して確実にこの包みを見つけ出すためには、最も少ない場合、天秤を何回使用すればよいか。 [国家一般・税務職]

    1　2回
    2　3回
    3　4回
    4　5回
    5　6回

90 互いに重さの異なる8個の鉄玉がある。分銅のない天秤を用いて最も重いもの、および2番目に重いものを確実に選び出すのには、少なくとも何回天秤を使用しなければならないか。 [国家一般・税務職]

    1　5回
    2　7回
    3　9回
    4　11回
    5　13回

91 男女各2人からなるグループが月の出ていない夜に橋を渡ろうとしている。その橋は男なら1人、女なら2人の体重しか支えられない。また足元が暗いので懐中電灯が必要であるが、懐中電灯は1個しかない。4人全員が最も少ない回数で橋を渡る方法についての記述として正しいものはどれか。ただし、懐中電灯は常に誰かが持って歩くものとする。

[国家一般・税務職]

    1　橋を渡る延べ人数は、12人である。
    2　男性のうち1人は、少なくとも2回橋を渡る必要がある。
    3　女性のうち1人は、3回橋を渡るだけですむ。
    4　女性のうち1人は、少なくとも6回橋を渡る必要がある。
    5　橋を渡る延べ回数は、11回である。

92 いっぱいに満たすとそれぞれ 1100 cc 入る A、700 cc 入る B、400 cc 入る C、100 cc 入る D の 4 つのカップがある。この A と D のカップには牛乳が満たされている。甲、乙、丙の 3 人がこの牛乳を 400 cc ずつ A、B、C のカップに分けて飲むことにした。B のカップから C のカップへ牛乳を入れることを禁じ、1 回目の手順を A のうち 700 cc を B に分けるとした場合、あと少なくとも何回の手順が必要か。　　　　[国家一般・税務職]
なお、カップには目盛りが付いていないものとする。

1　4回
2　5回
3　6回
4　7回
5　8回

93 次は、おはじきを使ったゲームに関する記述である。ア、イに入る数の組合せとして正しいのはどれか。
袋の中にはおはじきが 50 個あって、A と B の 2 人が交互に袋の中から 1 回に 1 個から 5 個までの間の個数のおはじきを取っていき、最後のおはじきを取った方を勝ちとする。
もし、A から先に取り始めるとすると、A が必ず勝つためには、A は始めに　ア　個取り、次回からは B が取った数と合わせると　イ　個になる数だけ取っていけばよい。　　　　[刑務官]

	ア	イ
1	1	5
2	2	6
3	3	7
4	4	7
5	5	6

例 題

ある鉄道ではA～Eの5人の運転手が電車を運転している。電車は5分ごとに発車し、始発の甲駅から終着の乙駅まで片道10分かかる。ABCDEの順に勤務につき、各々は始発の甲駅を発車し、甲乙間を1往復すると甲駅で5分休息する。今日はAが始発電車に乗務したが、その電車が発車した後36分たった現在、乙駅に最も近い電車を運転しているのはだれか。

[海上保安等]

1 A
2 B
3 C
4 D
5 E

解 説

　問題によって与えられた条件をもとに、指定された作業を実行するとどのような結果が得られるかを調べる問題である。

　例題は、ダイヤグラムを用いるとよい。ダイヤグラムは縦軸に駅、横軸に時間の変化を取ったものである。

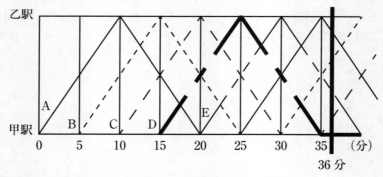

　36分の時点では、Aが最も乙駅に近いことが分かる。

正答……1

演 習

 94 A駅とB駅を4時間で結ぶ特急列車がある。ア、イ、ウのことが分かっ
ているときに確実にいえるのはどれか。　　　　　　［国家一般・税務職］

　ア　A駅発B駅行きの列車は8、10、12、14、16時に出発し、B駅発
　　A駅行きの列車は9、10、13、15、17時に出発する。
　イ　A駅又はB駅についた列車は、常に到着順に折り返し出発する。
　ウ　特急列車は一定の速度で走る。

1　A駅16時発の列車は、翌日B駅9時発の列車となる。
2　B駅13時発の列車は、A駅に到着するまでに3本のB駅行きの列
　車とすれ違う。
3　B駅発の列車のうち、A駅発の列車とすれ違う回数の一番少ないの
　は9時発の列車である。
4　B駅10時発の列車がA駅発の列車とすれ違うのは、すべてA駅と
　B駅の中間地点Cの手前である。
5　少なくとも5本の列車を編成する必要がある。

95 図の一番下の●から出発して、与えられた整数Xについて、次のルールにしたがってゴールに向かって進むものとする。

① Xが2で割り切れれば左上の○に1つ進み、2で割った値を改めてXとする。
② Xが2で割り切れなければ右上の○に1つ進み、X-1を2で割った値を改めてXとする。

これを3回繰り返したとき、ゴールの同じ○に到着する整数のペアを挙げたものとして正しいのはどれか。

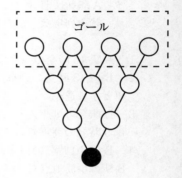

［国家一般・税務職］

1　56、71
2　56、99
3　62、84
4　62、99
5　71、84

96 1～8の数字が書かれた8枚のカードが数字の順に重ねてある。これらのカードを図のように上半分と下半分の各4枚に分け、上半分の1番上にあるカードが常に1番上になるようにして、上半分と下半分を上から順番に交互に重ね合わせた。この作業を何回か繰り返したところ、最初に並んでいた1～8の順に初めて戻った。全部で何回この作業を繰り返したか。　　［国家一般・税務職］

1　3回
2　4回
3　5回
4　7回
5　8回

I - 11

曜日に関する問題

例　題

1976 年はうるう年でその 2 月 29 日は日曜日である。では、2004 年の 2 月 29 日は何曜日か。　　　　　　　　　　　　　　　　[国家一般・税務職]

1　月曜日　　2　水曜日　　3　金曜日　　4　土曜日　　5　日曜日

解　説

　何曜日か調べたい日が、曜日のわかっている日から何日後なのかを調べ、それが何週間と何日後かを計算する。ある曜日の 1 週間後、2 週間後、……はすべて同じ曜日である。

　2004 年の 2 月 29 日は、1976 年の 2 月 29 日のちょうど 28 年後であるから、28 ÷ 4 = 7　で、うるう年が 7 回入っている。したがって、28 × 365 + 7 = 10227 日後である。　10227 ÷ 7 = 1461…0　となりちょうど 1461 週間後であることが分かる。よって、2004 年の 2 月 29 日は日曜日である。

正答……5

演　習

97 うるう年の昭和 47 年 10 月 12 日に生まれた A 君は、昭和 61 年 10 月 12 日（日）に 14 回目の誕生日を迎えた。A 君が生まれたのは何曜日か。

[東京特別区]

1　水曜日
2　木曜日
3　金曜日
4　土曜日
5　日曜日

98 ある月の末日と3か月後の月の末日が必ず同じ曜日となるのは次のうちではどれか。 [海上保安等]

1　4 月末日と 7 月末日
2　5 月末日と 8 月末日
3　6 月末日と 9 月末日
4　7 月末日と 10 月末日
5　8 月末日と 11 月末日

99 1996 年はうるう年で、1 月 1 日は月曜日である。1 月 1 日が月曜日になるのはいつか。なお、2000 年はうるう年である。 [国家一般・税務職]

1　2001 年
2　2002 年
3　2003 年
4　2004 年
5　2005 年

例　題

ある工事現場には、A 社からは 6 日ごとに、B 社からは 4 日ごとに材料が運ばれてくる。ある木曜日に A、B 両社の搬入が重なったとき、次に A、B 両社の搬入が重なるのは何曜日か。 [刑務官]

1　月曜日　2　火曜日　3　水曜日　4　金曜日　5　土曜日

解　説

A、B 両社の搬入が重なってから、次に搬入が重なるのは、6 と 4 の最小公倍数の 12 日後である。

12 ÷ 7 = 1…5

であるから、木曜日の 5 日後に重なる。

よって、火曜日である。

正答……**2**

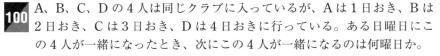

100 A、B、C、Dの4人は同じクラブに入っているが、Aは1日おき、Bは2日おき、Cは3日おき、Dは4日おきに行っている。ある日曜日にこの4人が一緒になったとき、次にこの4人が一緒になるのは何曜日か。

[国家一般・税務職]

1　月曜日
2　火曜日
3　水曜日
4　木曜日
5　金曜日

101 ある工事にA社からは6日ごとにB社からは4日ごとにC社からは9日ごとに材料が運ばれて来る。4月1日は月曜日で、この日にA〜C3社の搬入が重なった。次に3社の搬入日が月曜日で重なるのは△月□日である。この□にあたるのは次のうちどれか。

1　3
2　6
3　8
4　11
5　9

7月のある水曜日に、来週の金曜日から11日間の予定で会議を開くことに決めた。しかし、実際には会議は2日間延長されて昨日終った。今日が7月28日だとすると7月1日は何曜日か。ただし、日曜日には会議は行われなかった。

[県・政令都市]

1　水曜日　2　木曜日　3　金曜日　4　土曜日　5　日曜日

解　説

実際にカレンダーを書いてみて考えるとよい。

金曜日から、会議のあった日を13日間とると、図①のとおり。

これから、7月1日の曜日を調べると、図②のようになる。

①

日	月	火	水	木	金	土
					○	○
○	○	○	○	○	○	
○	○	○	○	○	28	

②

日	月	火	水	木	金	土
1	2	3	4	5	6	7
8	9	10	11	12	13	14
15	16	17	18	19	20	21
22	23	24	25	26	27	28
29	30	31				

正答……5

演　習

102 7月の第2月曜日から1日おきにアルバイトに入り、11日間仕事をして、8月3日に終了した。ただし、金曜日に働いたときは、次に働くのは月曜日になる。このとき、8月3日の後で、最初に日曜日になるのは何日か。

[刑務官]

1　8月4日
2　8月5日
3　8月6日
4　8月7日
5　8月8日

103 ある月の初日が日曜日で末日が土曜日であった場合、2か月後の月の初日の曜日として正しいのは、次のうちどれか。　　　　　　　［裁判所］

1　日曜日
2　月曜日
3　火曜日
4　水曜日
5　木曜日

104 A、B、Cの3人が、ある月の10日に集まって話をした。その際、Aは今度の木曜日に健康診断を受けると言った。Bは15日に健康診断があると言い、Cは次週の火曜日に健康診断があると言った。以上のことから考えてありえないものはどれか。　　　　　　　［国家一般・税務職］

1　健康診断を受ける日はCBAの順である。
2　健康診断を受ける日はACBの順である。
3　健康診断を受ける日はABCの順である。
4　AとBは同じ日に健康診断を受ける。
5　Aが健康診断を受ける3日後にBが健康診断を受ける。

I - 12

位置

出題頻度 ★★★

例　題

円形テーブルのまわりにA～Fの6人が座っている。Aの1つおいて隣がC、Bの右隣がD、Eの1つおいて右隣がF、Aの右隣がEならば、全員が1つずつ右に席をずらしたときにAの席に座るのは誰か。

[刑務官]

1　B　2　C　3　D　4　E　5　F

解　説

円テーブルの問題では、回転すると同じになるものは1つに考える。したがって、各自の相対的な位置関係だけを考えればよい。

まず、誰か1人の席を決めてそれに対して、確実に決定できる位置の人を考える。その後、2通り以上の席が考えられるものは場合分けして考える。

ここではAを基準に選ぶことにする。Aの右隣がEで、Eの1つおいて右隣がFであるから、図①のようになる。

次にBの右隣がDであることを考えると、この2人が並んで座れるのはア、イの席のみであることがわかる。Bがイで、Dがアである。

よって残った席がCである。

以上より、図②のような配置であることがわかる。

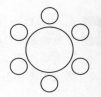

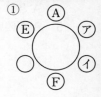

正答……3

92

演　習

105 A～Hの8人が、円形のテーブルのまわりに等間隔で座っている。Aの隣はB、Bと反対側へ1人おいた隣にはCがいる。Dの隣はE、Eと反対側へ1人おいた隣はFで、GとHは向かい合っている。

以上より確実にいえるのはどれか。　　　　　　　　　　[国家一般・税務職]

1　AとFは向かい合っている。
2　BとDは向かい合っている。
3　BとEは向かい合っている。
4　BとFは向かい合っている。
5　EとFは向かい合っている。

106 円形テーブルのまわりにA～Hの8人が座って食事をしている。Aの1人おいて左隣にはEがおり、Dの隣にはCがいる。またEの隣にはGが、真向いにはCがおり、Fの真向いはBである。

以上から確実にいえることは次のうちどれか。

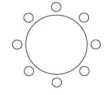

[国家一般・税務職]

1　Aの隣はGである。
2　Bの隣はEである。
3　Dの隣はHである。
4　Fの隣はCである。
5　Hの向いはAである。

107 A～D 4人はそれぞれアメリカ人、イギリス人、ド イツ人、フランス人のいずれかで、図のような四角 いテーブルについている。

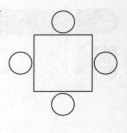

　　Aの正面はアメリカ人である。
　　Bの左隣はイギリス人である。
　　Cの右隣はドイツ人である。

このとき確実にいえるのはどれか。　　　　　　　　　　　　　　　　　[市町村]

1　Aはドイツ人である。
2　Bの正面はDである。
3　Bの左隣はCである。
4　Cの正面はドイツ人である。
5　Dの正面はフランス人である。

例　題

A～Fの6人は、キャンプに出かけ、屋外で下図のように食卓を囲んで夕 食を食べた。次のことがわかっているとき、確実にいえることとして、妥 当なのはどれか。

ア　Aの左隣にはDがいた。
イ　Cの向かいにはEがいた。
ウ　Fの向かいはAではなかった。
エ　Bが左を向くと、夕日が沈んでいく
　のが見えた。

西 ← 食卓 → 東

[東京消防庁]

1　Eの西隣には誰もいない。
2　Dの東隣には誰もいない。
3　Cの西隣はBである。
4　Bの東隣はFである。
5　Aの西隣はCである。

■■■ 解　説 ■■■

　長方形のテーブルなどでは、最初から場合分けが必要なことが多く、何を基
準にすれば場合分けの数を少なくできるか考える必要がある。

　例題では、アとウの条件にAが出てくるので、これらを基準にして場合分
けをすればよい。

　アより場合分けすると、図①のよ
うになる。場合分けの数を減らすた
めに最初は東西は考えないことにす
る。

　図①にイを入れると図②の通り。
（CとEは入れ替わり有り）

　図②にウを加えると図③のように
なる。

　エより、図③のいずれの図も右が
西になる。したがって、両方の図に
共通していえるのは4の「Bの東隣
はFである」。

正答……4

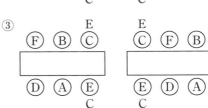

108 図のように、廊下をはさんで1～8号室の8つの部屋があり、各部屋にはA～Hの8人が住んでいる。各人の部屋の配置については次のア～オのようになっている。

1号室	2号室	3号室	4号室
5号室	6号室	7号室	8号室

- ア　AとEの部屋は向かい合っている。
- イ　Fの部屋とHの部屋の間にGの部屋がある。
- ウ　BとHの部屋も向かい合っている。
- エ　Gの部屋のななめ向いの部屋にDが住んでいる。
- オ　Gは2号室に住んでいる。

以上のことから確実にいえることはどれか。　　　　　　　　　[県・政令都市]

1　Aの部屋は4号室である。
2　Cの部屋は6号室である。
3　Dの部屋は5号室である。
4　Fの部屋は1号室である。
5　Bの部屋は5号室である。

109 図のような全部で6室の南向きの2階建てアパートがある。各室にはA～Fの6人が1人ずつ入居している。これらの者について次のことが分かっているとき、確実に言えるのはどれか。　　［県・政令都市］

Aの室のすぐ下の室にはEが入居している。

Bの室とCの室は隣合っていない。

Dの室には東側に窓がある。

Fの室はDの室と同じ階にある。

1　Bは2階のいちばん東の室に入居している。

2　Cは1階のいちばん西の室に入居している。

3　Dは2階のいちばん東の室に入居している。

4　Eは1階の真ん中に入居している。

5　Fは2階のいちばん西の室に入居している。

110 図のように、ア～カに6等分された掲示板にA～Fの6人が自分の絵をはる。A、B、Cの3人は次のような希望を持っていたが、このうち2人の希望しか、かなえられなかった。このとき、Aの絵がはられる可能性のある場所のみをすべて挙げているのはどれか。　　［国家一般・税務職］

A　一番上の段にはりたい。

B　Aのすぐ右隣にはりたい。

C　Bより上の段にはりたい。

ア	イ
ウ	エ
オ	カ

1　ア、イ、ウ

2　ア、ウ、オ

3　ア、イ、ウ、オ

4　ア、ウ、エ、カ

5　ア、イ、ウ、オ、カ

一直線上に、A〜Gの7人が横一列に並んで立っているが、各人は前向きの者と後ろ向きの者がいる。これらの者が位置と向いている方向について次のようにいっているとき、Aと同じ方向を向いているものはAを含めて何人か。

[県・政令都市]

A　「私の右隣はDで、Dは私とは反対向きだ。」
B　「私の左隣はGだ。」
C　「私の右隣はFで、Fは私と同じ向きだ。」
E　「私の右隣はDで、私の左隣は私とは反対向きだ。」
G　「私の左隣はAだ。」

1　1人　2　2人　3　3人　4　4人　5　5人

解　説

それぞれの発言から図を作っていき、つなぎあわせていくとよい。各人の向いている方向は、矢印などで表すとよい。

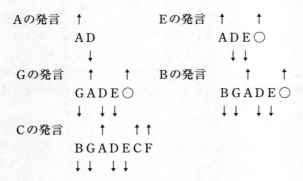

正答……3

演　習

111 A、B、C、D、E、F、Gの7人が横に1列に並んでいるが前向きの者も後ろ向きの者もいる。このとき、次のA〜Gの発言から正しいといえるものはどれか。　　　　　　　　　　　　　　　　　　［県・政令都市］

A　「私の右手のほうにCとDが、左手のほうにBとEがいる」
E　「私の右手のほうにD、左手のほうにBがいる」
C　「私の右手のほうにB、左手のほうにDとFがいる」
F　「私のすぐ左隣にCがいる」
G　「私の右手にA、左手にCがいる」

1　FとGは同じ向き
2　BとDは反対向き
3　AとGは同じ向き
4　CとDは反対向き
5　AとEは同じ向き

112 東西に引いた一直線上に、A〜Eの5人が間隔をおいて、東西南北のいずれかの方向に向いて立っている。その5人がそれぞれ次のように言った。この場合、次のうちで反対方向（東と西又は南と北）を向いているのはだれか。　　　　　　　　　　　　　　　　　　　　　　［県・政令都市］

A　「僕の左隣はEだ。」
B　「僕のすぐ後ろはCだ。」
C　「僕の右隣はEだ。」
D　「僕と同じ方向を向いている人はいない。」
E　「僕の前方には2人いるが、2人とも僕と違う方向を向いている。」

1　AとD
2　AとE
3　BとC
4　BとD
5　CとE

I - 13

方位

出題頻度 ★

例　題

Cの家は、Bの家の南東にあり、Bの家はDの家の北東にある。Eの家はCの家の北にあり、DとBをむすんだ線の延長上にある。Dの家はCの家の西方600mにあり、Eの家はAの家の東方300mにある。Aの家はBの家からみてどの方向にあるか。 [刑務官]

1　北　2　北東　3　北西　4　南　5　南東

解　説

東西南北を座標軸とした図をつくって考える。

まず、簡単に位置を確定できるものや、条件に多くでてくるものから、考えていくとよい。

この問題ではCの家を中心に作図してみる。

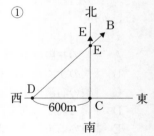

・Dの家はCの西方600m
・Eの家はCの家の北
・Bの家はDの家の北東
・Eの家はDとBを結んだ線の延長上
　以上より図①ができる。

・Cの家はBの家の南東だから、Cの家から見るとBの家は北西にある。
　→Bの位置が決まる。

・Eの家はAの家の東方300mにあるから、Eの家から見るとAの家は西方300mにある。

以上より図②ができる。

　図②より、Aの家はBの家から見て北に
ある。

正答……1

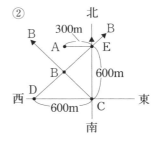

② 北

演　習

113　Aは自宅から南にある友人宅へ向かう途中、X交差点を左折し、東に
300メートルの所にある花屋で買い物をし、さらに花屋から南に600メー
トルの所にあるケーキ屋に立ち寄った。花屋から見て友人宅は南西の方
向にあるという。この場合においてケーキ屋からみた友人宅の方向とし
て正しいのは、次のうちどれか。　　　　　　　　　　　　　　　　［裁判所］

1　西北西
2　北西
3　西
4　西南西
5　南西

114　A君はO地点から100 m北西に進み、そこから南西に45 m進み、さら
に100 m南東に進み、さらに北東に60 m進んでP地点に着いた。O地
点とP地点間の距離として正しいのは、次のうちどれか。　　　　［裁判所］

1　15 m
2　30 m
3　45 m
4　60 m
5　75 m

115 Aが駅から真北に向かって自転車を走らせていたところ、真西の方向に新築中のビルが見えた。その方向はAから見て、学校の左側、公園の右側であった。また、駅から見ると公園の左側、学校の右側であった。Aのいる位置からこのビルまでの距離を調べると、その距離はAのいる位置から駅までの距離と等しかった。公園にいる人がこのビルを見ると、どの範囲の方向に見えるか。 [市町村]

1 　東と南東の間
2 　南と南西の間
3 　南西と西の間
4 　西と北西の間
5 　北西と北の間

例　題

A君はまっすぐ歩いて、左に90°曲がった。またしばらくまっすぐ歩いて右に45°曲がったら、東を向いたという。A君が最初に歩いていた方角はどの方向か。 [東京消防庁]

1 　北西 　2 　北東 　3 　南西 　4 　北北東 　5 　南東

解　説

最初に進んでいる方向が示されていないパターンである。

まず、最初に進む方角はわからないから、適当に（例えば、紙面の上方向に）決める。そして、条件通りに進んでいった図を書き、最後に方角が判明するから、そこで最初に進んでいた方角を考える。このとき、紙を回してやるとわかりやすい。例えば、北を上、東を右などというふうに合わせてやるとよい。

最初に紙面の上方向に歩き出したとして考えると図①のようになる。紙面左斜め上方向が東であることから、図②のような方角がわかる。（紙を回して、東の方向を右にすると、わかりやすい。）したがって、最初に進んだ方角は南東である。

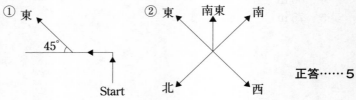

正答……5

演 習

Ⅰ 判断推理

 116 ある人が、ある方向にまっすぐ歩いていた。最初の交差点で90度右に曲がり、次の交差点で45度左に曲がった。しばらくして、更に左に90度曲がったところ、真西を向いて歩いていた。この人が最初に歩いていた方向として正しいのは次のうちどれか。 ［裁判所］

1 北
2 南
3 南東
4 北西
5 北東

 117 山田君は高校へ行くのに裁判所の方角に向かって歩き、500mの地点で90°右に曲がり、また500m歩いた地点で裁判所と反対の方角に100m歩いて高校につく。高校から見ると裁判所は北に見える。また山田君の家から裁判所までは1kmである。以上のことから判断して、次の記述のうち正しいのはどれか。 ［裁判所］

1 山田君は最初北東の方角に歩いた。
2 山田君は最初南西の方角に歩いた。
3 山田君は最初南の方角に歩いた。
4 山田君は最初西の方角に歩いた。
5 山田君は最初北の方角に歩いた。

道順

例 題

図に示したような道路網を、AからBまで最短
距離で行く道順は何通りあるか。

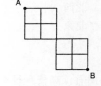

1　36通り　　2　34通り　　3　32通り
4　30通り　　5　28通り

解 説

計算で求めると速い。

例えば左図のようなたて4区画、よこ3区画の街路の場合、
最短距離でAからBに行くときの行き方は次の公式で求められ
る。

AからBに行くときの全部の街路数

$$\frac{7!}{4! \cdot 3!} = \frac{7 \cdot 6 \cdot 5 \cdot 4 \cdot 3 \cdot 2 \cdot 1}{4 \cdot 3 \cdot 2 \cdot 1 \cdot 3 \cdot 2 \cdot 1} = 35 \,(通り)$$

縦の街路数　横の街路数

例題では下図のようにM点をとると、

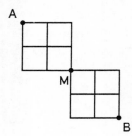

A→Mの順路　　　$\dfrac{4!}{2!\cdot 2!}=\dfrac{4\cdot 3\cdot 2\cdot 1}{2\cdot 1\cdot 2\cdot 1}=6$（通り）

M→Bの順路　　　$\dfrac{4!}{2!\cdot 2!}=\dfrac{4\cdot 3\cdot 2\cdot 1}{2\cdot 1\cdot 2\cdot 1}=6$（通り）

したがって、A→Bまでの順路は　　$6\times 6=36$（通り）　　　**正答……1**

演　習

118 図のような道路をもつ市街において、AからBまで遠回りしないで行く道順の総数はいくつか。　　　［海上保安等］

1　6
2　7
3　8
4　9
5　10

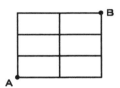

119 ごばんの目のように道があって、1ブロックを1座標とおいた場合、(3,2)になる地点に原点から最短距離で行く行き方は何通りあるか。

［裁判所］

1　6 通り
2　8 通り
3　10 通り
4　12 通り
5　14 通り

120 図のような碁盤目に区切った道路がある。最短距離でAからBへ行く道は何通りあるか。

[県・政令都市]

1　472 通り
2　462 通り
3　452 通り
4　442 通り
5　432 通り

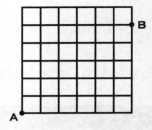

図において、A点からB点まで、最短距離で行く行き方は全部で何通りあるか。

1　　72 通り
2　100 通り
3　144 通り
4　200 通り
5　240 通り

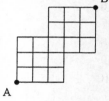

解　説

　計算しづらい問題は角ごとに最短経路がいくつあるか、書いていく方法をとろう。横が4区画、縦が3区画の街路で考えてみる。図①で、イ、ロ、ニに行く行き方は、A点からいずれも直線であるから、それぞれ1通りしかない。

　ハに行くには、イを通るものと、ロを通るものの、2通りある。このときは、ハの交差点にイとロの1通りを足して、2を書く。

　ホの交差点は、ハの2通りと、ニの1通りを足して、3通りである。これをB点までつづけると、図②のようになる。

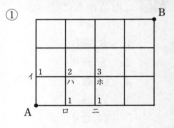

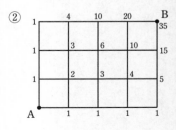

106

例題では次のようになる。　　　　　　　　　　　　　　　　正答……4

```
                10   40  100   B
                             ●200
                 10   30   60
                            100
          4      10   20   30
        1                   40
        1   3    6    10   10
        1                   10
        1   2    3
        1             4
        ●
      A    1    1    1
```

演　習

121 図のような街路を最短距離でＡからＢへ
行く方法は全部で何通りあるか。

　　　　　　　　　　　　　　　　[警察官]

1　12 通り
2　14 通り
3　16 通り
4　18 通り
5　20 通り

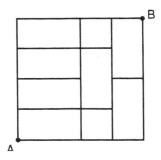

122 図のように、道路が碁盤目に整備された都
市がある。今十字路Ｘは、道路工事のため
通行できない。この時ＡからＢまで、最
短距離で行く方法は何通りあるかにつき正
しいのは次のどれか。　　　　　　[裁判所]

1　28 通り
2　32 通り
3　36 通り
4　40 通り
5　44 通り

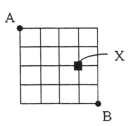

123 図のような道路網がある。X、Y、Zは災害で道路が破壊され不通であったが、Zは修復が完了して通れるようになった。この修復によって、AからBへ最短距離で行く行き方は何通り増えたか。 　　　　　　　　　　　　　　　　　　　　　　　　　　[県・政令都市]

1　1通り
2　2通り
3　3通り
4　4通り
5　5通り

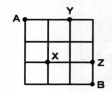

┌─ 例 題 ───────────────────────────────┐

図において、A点から矢印の方向に出発し、実線で示す線分上を動いて、しかも同じ点を再度通ることなく、A点に戻りたい。
すべての線分を通らなくてもよいとすると、A点に戻る方法は何通りあるか。 　　　　　　　　　　　　　　　　　　　　　　　　　　[海上保安等]

1　4通り
2　5通り
3　6通り
4　7通り
5　8通り

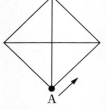

└──────────────────────────────────┘

■■■■ 解 説 ■■■■■■■■■■■■■■■■■■■■■■■■■■■■

最短距離で行くものではないパターンである。

これは、分岐している所などの要所に点を設けて、どのように行く道順があるかを樹形図のような図をつくって調べるとよい。

例えば、図①のような道路があって、AからBまで行く道順は何通りあるか調べるとする。(ただし、同じ道を2度以上通ってはいけないとする。)

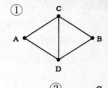

この問題では、まず分岐点に、C、Dという記号をつける。そして、Aから次にどこに行けるかを考え、図②のような図を作る。Cからは、B、Dの2点へ行けるので、図③のようにCから分岐させる。このようにして、最後まで考えると、図④のようになる。したがって、4通りである。

図アのように記号をつけて、道順を調べると図イのようになる。

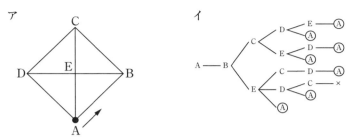

正答……4

演 習

124 図のような公園の中の散歩道がある。A地点から矢印の方向に進んで散歩道をすべて一度だけ通ってAへ戻るのに何通りあるか。

ただし交差点は2度以上通ってもよいものとする。

［国家一般・税務職］

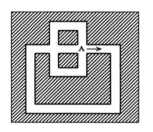

1　3通り

2　4通り

3　5通り

4　6通り

5　7通り

125 図の正方形の1辺を、1単位とする。また、対角線の交わるところまでも1単位とする。このとき、Aから出発して、逆戻りせずに、3単位進む方法は何通りあるか。ただし、Aを出発して3単位でAに戻る場合は除くものとする。 [県・政令都市]

1　9通り
2　10通り
3　11通り
4　12通り
5　13通り

126 右図のようにA地点からB地点まで行く道路がある。A地点から出発してB地点に行く場合、B地点に到達する前ならば一度通過した地点を重ねて通過してもよいが、同じ道路は重ねて通ることなくB地点に到達する行き方の数として正しいのは次のうちどれか。 [裁判所]

1　11通り
2　13通り
3　15通り
4　17通り
5　19通り

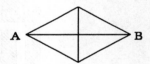

例 題

図の様なゴバン目の道を、太郎と次郎がそれぞれ黒丸の地点を同時に出発し、太線上を矢印の方向に同一の速度で歩いた（コースをわかりやすくするため、別の図にしたが同一の道である）。太郎と次郎が出会う地点はA～Eのどれか。 [県・政令都市]

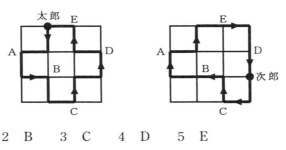

1 A   2 B   3 C   4 D   5 E

解 説

交差点と交差点との間を歩くのに１分間かかるとおいて、出発から１分後、２分後、・・・にいる場所にその数字を書き入れていくと次の図のようになる。

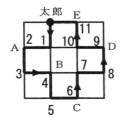 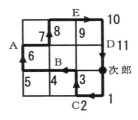

４分後に両者ともＢ点にいることがわかる。　　　　　　　　　　正答……２

111

127 A、B2人がそれぞれ図のような歩き方をして1000m先のゴールに到着した。（Aは200m直進しては右または左に曲がり、Bは100m直進しては右または左に曲がる。）AとBは同時に出発し、2人の速度は同じであった。

　AとBは途中で何回出会ったか。

[県・政令都市]

1　0回
2　1回
3　2回
4　3回
5　4回

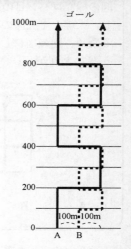

128 図のように碁盤目状になった道路がある。甲はA点から太線のようにD点まで、乙はB点から点線のようにC点まで歩き、二人はD点又はC点で折り返した後、それぞれ往路と同じ道を通って出発点まで帰った。甲、乙とも歩く速さは同じであった。甲と乙が2回目に出会うのはa〜eのどの地点か。

[海上保安等]

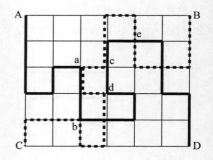

1　a
2　b
3　c
4　d
5　e

例 題

次の図のうち、一筆書きができるものとして、妥当なのはどれか。

[東京消防庁]

ア　　　　　イ　　　　　ウ　　　　　エ　　　　　オ

1　ア　2　イ　3　ウ　4　エ　5　オ

解 説

　一筆書きできるときの条件…次のいずれかを満たせばよい。

1．全て偶点でできている。

2．2つだけ奇点で残りは全て偶点でできている。

※偶点と奇点

　ある点から偶数本、線が出ていれば、偶点と呼び、奇数本、線が出ていれば、奇点と呼ぶ。

偶点の例

奇点の例

　それぞれの図形で、交点が偶点であるか奇点であるか調べ、一筆書きができるときの条件に当てはまっているかどうか判定すればよい。

ア　　　　　イ　　　　　ウ　　　　　エ　　　　　オ

　エが「2．2つだけ奇点で残りは全て偶点でできている。」に当てはまっている。

正答……4

129 ある製薬会社の社員が図のような内部構造をもつ病院に新薬の説明に行った。訪問した社員はある1つの科の前の通路以外すべての通路を1回だけ通って病院内を移動し帰って行った。この社員が通らなかった通路の前にある科はどれか。 [刑務官]

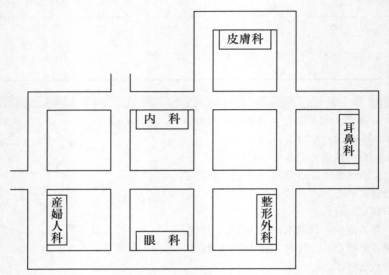

1　内科
2　外科
3　眼科
4　皮膚科
5　耳鼻科

II

判断推理図形

平面図形の分割と構成

例　題

右図を平面上で回転させたものとして最も妥当なのはどれか。

[国家一般・中途採用午後]

1 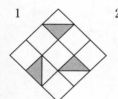　　2 　　3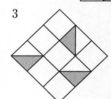

4 　　5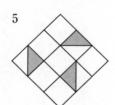

解　説

　平面図形をいくつかに分割したり、逆にいくつかの断片から１つの図形をつくったり、回転させて同じものを選ぶ問題である。頭の中だけで考えるのはかなり難しく、紙の上で何度も書いてみるといった試行錯誤はさけられない。

　図形の特徴（頂点の角度、曲線の形、辺の長さ等）をうまくとらえていくことが大事である。また、対称性に注意することも大事である。例題では、単に図形を回転させているだけだから、どの方向を下向きに考えるか（土台を定める）ということが大事である。

　最初の図の太線の側を「下向き」と決め、これを「土台」と呼ぶことにする。そして黒く塗られた直角二等辺三角形の直角部分の頂点がどこの列の何段目にあり、どの向きか？というのを考えてみるとよい。例えば、右図のように、右列の三角形で直角部分の頂点は、「右列　1段目　左下」のように把握できる。各三角形の頂点をそれぞれ同様に把握すると分かりやすい。

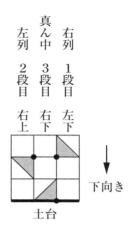

真ん中列　3段目
左列　2段目　右上
右列　1段目　左下
右上　右下　左下

下向き

土台

　これと同じ位置関係にあるものをあとは選ぶだけである。まずは、「右列　1段目　左下」と同じものだけを探すと、選択肢1と5しか残らない。この2つについて、調べると、右図のように選択肢5が同じ位置関係であることが分かる。

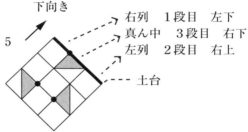

下向き

5

右列　1段目　左下
真ん中　3段目　右下
左列　2段目　右上
土台

　　　正答……5

演習

130 円形の紙を、<u>直線を引くことにより、大きさにこだわらずにできるだけ</u>多くの部分に分割する。20 個の部分に分割するためには、最低、何本の直線を引けばよいか。　　　　　　　　　　　　　　　　　[刑務官]

（例）図のように 2 本線を引くと、円形の紙は 4 個の部分に分割することができる。

1　5本
2　6本
3　7本
4　8本
5　9本

131 直線 X Y 上に正三角形 A B C がある。いま、等脚台形 D E F G が直線 X Y 上を X 方向に移動した場合、両図形の重なる部分に現われる図形のみの組合せはどれか。なお、∠A = ∠D = ∠E、B C = D G とする。

[県・政令都市]

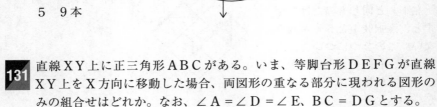

　ア．六角形
　イ．平行四辺形
　ウ．台形
　エ．五角形
　オ．三角形

1　ア、イ　　　2　イ、ウ　　　3　ウ、エ
4　エ、オ　　　5　ア、オ

118

132 図1のように、白、黒の正方形の紙片を市松模様に並べて大きな25枚の正方形にする。図2のA～Gのように正方形をつなげた紙片で、図1を埋めつくすとき、必要のない紙片のみを挙げているのはどれか。

ただし、A～Gは、裏返して使用することはないものとする。なお、アの紙片を1枚置いてある。

[国家一般・税務職]

図1

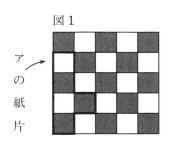

図2

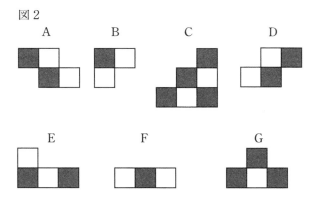

1　A、D
2　A、E
3　D、G
4　D、E
5　E、G

合同な直角二等辺三角形を組合わせてできた、アからオの5つの図形が
ある。これらすべてを重ならないように組合わせてできる図形として、
最も妥当なのはどれか。

[東京消防庁]

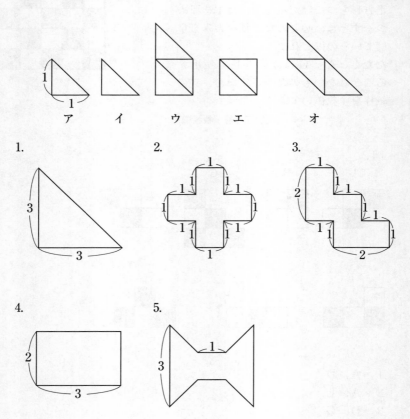

次の図Ⅰ及び図Ⅱのように、4つに分割すると、元の図形と相似な図形を4つ作ることができる。このようにして、ア～エの図形を分割して元の図形と相似な図形を4つ作ることができるものを全て選んだ組み合わせとして、妥当なのはどれか。　　　　　　　　　　　　［東京消防庁］

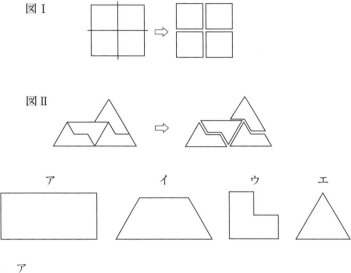

1　ア
2　イ、エ
3　ア、イ、エ
4　ア、ウ、エ
5　ア、イ、ウ、エ

Ⅱ 判断推理図形

II - 2

平面図形の個数

例　題

図の中に正方形は何個あるか。　　　　　　　　　　[県・政令都市]

1　　9個
2　　10個
3　　11個
4　　13個
5　　14個

解　説

同じ大きさ（種類）の正方形ごとに数を数えていく。

また、例題が「長方形（正方形を含む）は何個あるか」という問題であれば、組合わせの理論を用いる。長方形は縦線2本、横線2本からできるから、

$${}_4C_2 \times {}_4C_2 = \frac{4 \cdot 3}{2 \cdot 1} \times \frac{4 \cdot 3}{2 \cdot 1} = 36 \text{（個）}$$ と計算できる。

正方形の大きさごとに個数を数えると次のとおり。

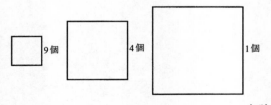

合計 14 個

正答……5

演 習

135 図の中の三角形は全部でいくらか。 ［警察官］

1 　18
2 　20
3 　22
4 　24
5 　26

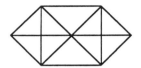

136 次のような図形の中に正方形はいくつあるか。 ［県・政令都市］

1 　28 個
2 　29 個
3 　30 個
4 　31 個
5 　32 個

137 右の図形に含まれる正方形の数は、次のうちどれか。 ［裁判所］

1 　28
2 　29
3 　30
4 　31
5 　32

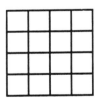

Ⅱ
判
断
推
理
図
形

138 図Ⅰには1個の長方形があり、図Ⅱには3個の長方形があり、図Ⅲには6個の長方形がある。

図Ⅰ

図Ⅱ

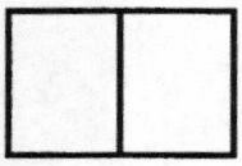

図Ⅲ

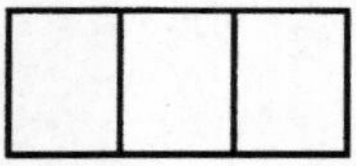

同じように考えるとき、次の図Ⅳには何個の長方形があるか。

［裁判所］

図Ⅳ

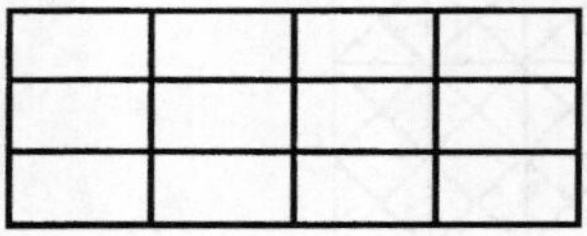

1　51個
2　54個
3　57個
4　60個
5　62個

139 図の9点のうち、任意の4点を通る円はいくつできるか。

［国家一般・税務職］

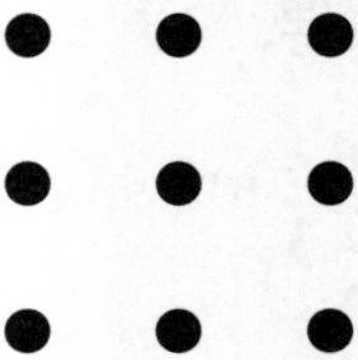

1　12
2　14
3　16
4　18
5　20

立体図形の分割と構成

例 題

1辺の長さがaの小立方体をすき間なく積み、図のように1辺の長さが5a
の立方体を作り、すべての面に色を塗る。このとき、1面だけ色のついて
いる小立方体の総数と2面だけ色のついている小立方体の総数との差はい
くつか。

[東京特別区]

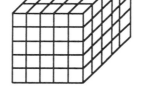

1　16
2　18
3　20
4　22
5　24

解 説

　3面色のついているもの、2面だけ色のついているもの、1面だけ色のつい
ているもの、全く色のついていないものの4種類あるが、積み重ねられている
位置によって色のつきぐあいは異なってくる。その位置はどこかを知っておく
とよい。

① 3面……8個
② 2面……3 × 12 = 36個
③ 1面……9 × 6 = 54個
④ 0面……表に出ていない部分　3 × 3 × 3 = 27個

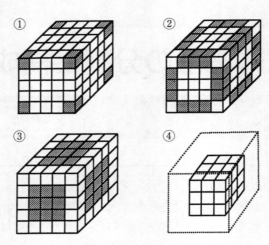

① ② ③ ④

1面だけ色のついているもの……9 × 6 = 54 個
2面だけ色のついているもの……3 × 12 = 36 個
54 − 36 = 18（個）

正答……2

演 習

140 ある立方体の各面を赤く塗った後、各辺を4等分し、64個の小立方体に
バラバラに分けた。その小立方体の中で2面のみ、赤く塗られている立
方体は何個あるか。 [東京消防庁]

1　24　　2　32　　3　40　　4　48　　5　56

141 表面を黒く塗った立方体の木片がある。これを、64個の同じ大きさの立
方体に分割する。これらの小立方体のうち、2面が黒い小立方体と黒い
面のない小立方体の数の和はいくつになるか。 [県・政令都市]

1　32　　2　34　　3　36　　4　38　　5　40

142 左の図に色を塗って（底面も含む）右の図のようにわけた。2面だけ赤で塗られている数はどれか。

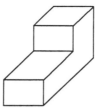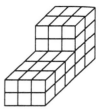

［警察官］

1　12
2　14
3　17
4　21
5　24

143 図は同じ大きさの立方体の積木を縦、横、高さいずれも3個ずつ積み上げたものである。●印の位置から垂直または水平（印のある面に対して垂直な方向）に穴をあけたとき穴のあいた立方体はいくつできるか。

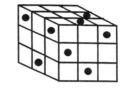

［県・政令都市］

1　16個
2　17個
3　18個
4　20個
5　21個

144 同じ大きさの小立方体を 18 個はり合わせた図のような直方体がある。この直方体から面が接する 2 個の立方体を取り除いてできる立体は何種類あるか。ただし、回転して同じ形になるものは同じ種類のものとする。

［市町村］

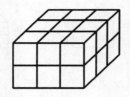

1   4 種類
2   6 種類
3   9 種類
4   12 種類
5   15 種類

II - 4

立体の個数

例 題

立方体をいくつか積み重ねてできた立体の投影図は図のようである。※の
部分は立方体が２個重なっていることが分かっているとき正しくいえるの
はどれか。 [市町村]

正面図　　　　　　側面図

```
ア　イ　※
ウ　エ　オ
```
平面図

1　アの部分には立方体が２個重なっている。
2　イの部分には立方体が３個重なっている。
3　ウの部分には立方体が２個重なっている。
4　エの部分には立方体が３個重なっている。
5　オの部分には立方体が２個重なっている。

解 説

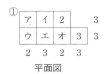
平面図

正面図や側面図から得られた情報を平面図に書き入れ
て考えるとわかりやすい。
・※の部分は２個。
・正面図より、左から２個、３個、２個、３個と積まれ
　ているのがわかるので、平面図の下にその個数を書く。
　　→一番右はしには３個積まれている。
・側面図より、奥の列、手前の列、共に３個ずつ積まれているのがわかるので、
　平面図の右側にその個数を書く。以上より、①図ができる。

・側面図から得られた個数から見ると、アかイはどちらかは3個積まれていなければならない。そこで、正面図から得られた個数を見ると、アには3個積まれていないことがわかる。よって、イに3個積まれている。

正答……2

演 習

145 同じ大きさの立方体を、図のように直角に曲がっている壁に接して、階段状にすきまなく積んでいき、8段目まで積み上げた。このとき使った立方体は全部で何個か。

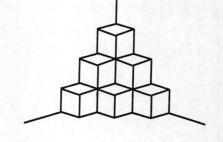

1　　36 個
2　　50 個
3　　64 個
4　102 個
5　120 個

146 下図は1辺の長さが1cmの立方体をいくつか積んで、正面および側面から投影したものである。立方体の数として考えられる最大と最小との差はいくつか。

[国家一般・税務職]

1　26
2　25
3　24
4　23
5　22

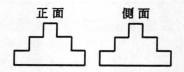

147 図は、同じ直方体を組み立て、それを A ～ C の 3 方向から見たものである。何個の直方体から組み立てられているか。なお、それぞれの直方体はすきまなく組み立てられ、内部に空間はない。　　　　　　　［市町村］

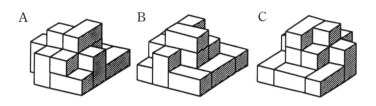

A　　　　　　B　　　　　　C

1　12
2　13
3　14
4　15
5　16

148 2 × 1 × 1 の大きさの直方体を積み重ねて図のような立体をつくるとすると直方体は何個必要か。　　　　　　　［市町村］

1　52 個
2　54 個
3　56 個
4　58 個
5　60 個

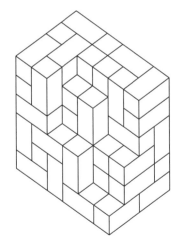

II
判断推理図形

149 図は同じ大きさの小さい立方体を積み上げて作った立体の投影図であるが、小さい立方体は幾つあるか。

[県・政令都市]

1　12個
2　13個
3　14個
4　15個
5　16個

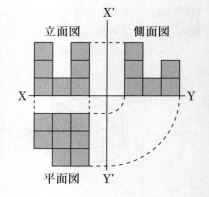

立方体の展開図

例　題

次の展開図を組み立てたときできる立方体はどれか。　　　　　　[市町村]

解　説

立方体の展開図では、90°の角度にある辺（①図のアとイのような位置関係）は同じ辺（組み立てたときにくっつく辺）であるから、90°ころがして②図のように書き直すことができる。

例題では、「面をころがして」いくと次のようになる。

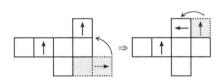

これより、見取図を考えると、

となる。

正答……5

150 右の図は、点線を折り曲げて組み立てると立方体になる。このとき、辺KNと重なる辺は、次のうちどれか。

[裁判所]

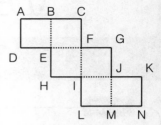

1 AB
2 BC
3 AD
4 EH
5 DE

151 図は立方体の展開図で、A〜Hはのりしろを示している。この展開図を組み立てたときに、重なるのりしろはどれとどれか。

[県・政令都市]

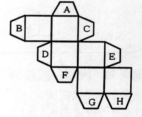

1 AとG
2 AとH
3 BとG
4 BとH
5 CとH

組み立てたときに下図のようになる展開図は次のうちどれか。

[県・政令都市]

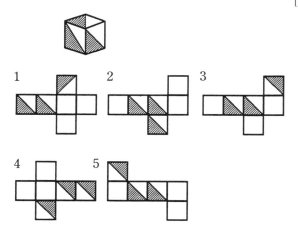

153 立方体に下図のように太線を入れて、三角錐の部分を切り取った場合の
展開図として正しいものは、次のうちどれか。　　　　　　[裁判所]

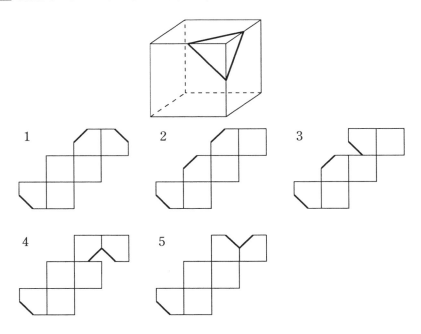

II - 6

立方体以外の展開図

出題頻度 ★

例　題

図は正八面体の展開図である。辺Ａと重なるのはＡ～Ｅのどの辺か。

[東京消防庁]

1　A
2　B
3　C
4　D
5　E

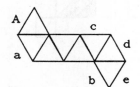

解　説

正多面体は次の５種類しかない。

正四面体　　正六面体　　正八面体　　正十二面体　　正二十面体

　このうち展開図が問題になるのは正四面体、正六面体、正八面体がほとんどである。

　正四面体の展開図は（裏返して同じになるものは１つに数えると）次の２とおりしかない。

　正八面体はやや難しい。展開図から見取図を考えるときにはまず、正八面体を正四角すいが2つ合わさった図形として考える。それで、次のような組み立て方を覚えておくとよい。

　次に、2つの四角すいを組み合わせるとよい。

　また、正八面体の展開図上で、面を「ころがす」ときは、辺と辺との角度が120°のときである。（辺と辺との角度が120°のとき組み立てるとくっつく）

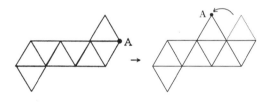

　例題では、辺Aを含む面を「ころがし」ていくと次のようになる。

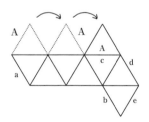

正答……3

154 正八面体の展開図として正しいのは次のうちのどれか。 [県・政令都市]

1
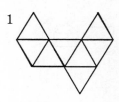

2

3
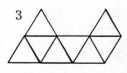

4

5

155 図は正八面体の展開図である。正八面体を組み立てたとき、ABと重なる辺はどれか。

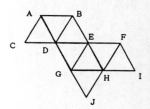

1 F I
2 E F
3 D G
4 G J
5 H I

156 図のように１つの表面だけを黒く塗った正四面体の展開図の種類はいくつあるか。ただし、回転させると同じになるものは同種類とする。

［国家一般・税務職］

1   4 種類
2   6 種類
3   8 種類
4   10 種類
5   12 種類

157 図のような展開図を組み立て、これを２個重ねたときにできる立体としてありえるのはどれか。

［国家一般・税務職］

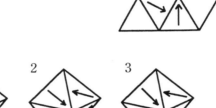

1   2   3

4   5

II - 7

折り紙

出題頻度 ★★

例 題

折り紙を図のように折っていき、最後に1つ穴をあけた。開いたときの穴の位置として、正しいものは次のうちどれか。

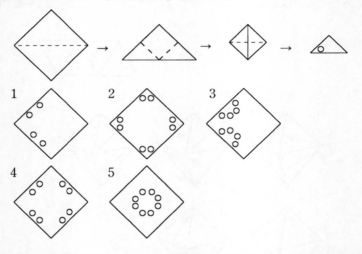

解 説

開いていく様子を順に考えていくとよい。

折って重なりあっているものは折り目に対して線対称になる。折っていたものを開いていくときに線対称になることを考えていくとよい。

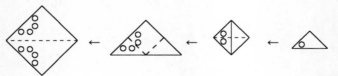

正答……3

演 習

158 図Ⅰのような正方形の紙を図Ⅱ、図Ⅲとなるように点線のところから矢印の方向へ谷折りで順に折り、図ⅢのABの線で切ったとき、その切片の組合せとして正しいのはどれか。　　　　　　　　　　　[警察官]

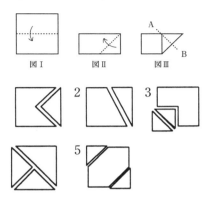

159 正方形の紙を図のように折りたたんでいき、斜線部をはさみで切り離したものを再びひろげたときにできるものは次のうちどれか。　　　[警察官]

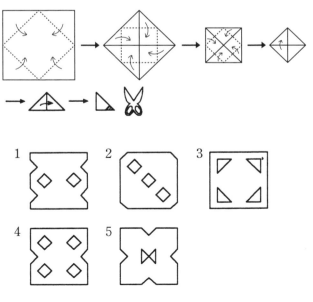

160 正方形の折り紙を図のように①～⑥の順に点線部分で谷折りにしてゆき、最終的に得られた⑦の斜線部分を切断して取り除いた。この折り紙をもとのように広げるとどのような図形が得られるか。　　　　　　　　[市町村]

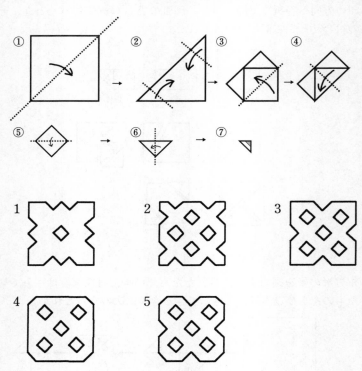

161 図のように正方形の紙Aを点線部分で内側に折ってBとし、Bの点線部分で内側に折ってCとする。さらに、Cを点線部分で内側に折ってDとした後、そのままの位置で折ってきたのと逆の順に開いて正方形に戻したときついた折れ目はどれか。ただし、内側への折れ目は点線、外側への折れ目は実線とする。 [警察官]

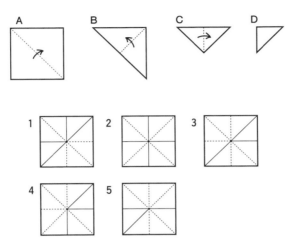

162 正方形の紙片をその対角線の一つに沿って折り、図Ⅰのような直角二等辺三角形を作り、同図の点線の部分を折って図Ⅱのようにした。これを図Ⅱの点線にそって切断し、広げたときに最も大きい紙片の形として妥当なのはどれか。 [国家一般・税務職]

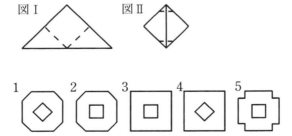

163 下図は、辺が 20 cm の正方形の紙を四つに折ったものである。この紙の斜辺部を切り落としてから紙を広げた場合にできる形として、ありえないものはどれか。

［県・政令都市］

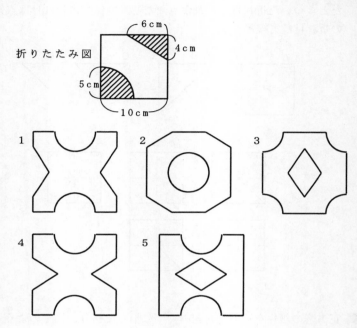

折りたたみ図

6cm

4cm

5cm

10cm

1

2

3

4

5

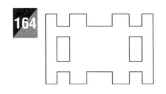

164

長方形の紙を半分に折り畳み、さらに、半分に折り畳んだ後、ある部分を切り取り、残った紙を広げて左図の形をつくるとき、長方形の紙の折り畳み方及び斜線で表した切り取る部分を示したものとして、正しいのはどれか。ただし、長方形は点線を谷にして矢印の方向に折り畳み、折り畳んだ後の紙は回転させず、裏返さない。　　　[東京都]

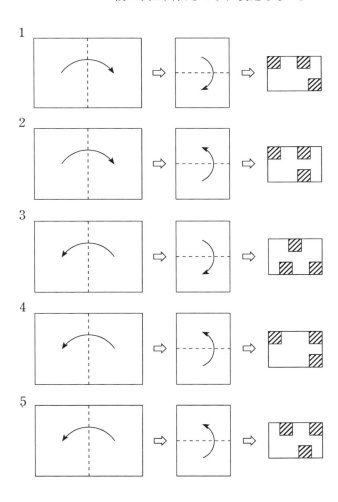

II - 8

投影図・見取図

例　題

ある立体を真上と正面から見て下のようになったとき、この立体を、向かって左側から見たときの図として正しいのは次のうちどれか。

[警察官]

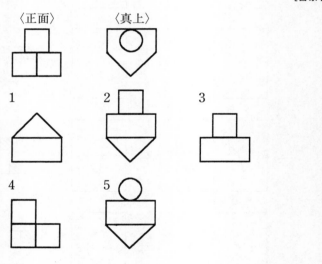

解　説

　立体を平面上に表わすための手段として、投影図は使われる。真正面から見た図と真上から見た図と真横から見た図を組にして示す。

　図のように互いに垂直に交わる3つの平面 P、Q、R があって、平面 P にうつる形を正面図（立面図）、平面 Q にうつる形を平面図、平面 R にうつる形を側面図という。

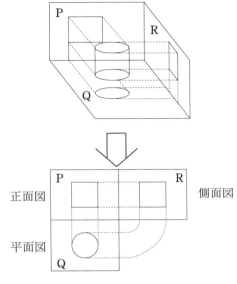

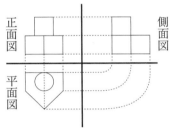

例題を左図のように投影図に描けば、側面図は4となる。

正答……4

演 習

165 正面図が右図で示される物体の側面図として考えられるのはどれか。　［刑務官］

166 下の図のような正面図と平面図をもつ立体がある。この立体の辺の数は何本か。　［県・政令都市］

　　正面図　　　平面図

    1　15 本
    2　17 本
    3　19 本
    4　21 本
    5　23 本

167 図Ⅰのような立体を四方から見ると図Ⅱのように平面図、正面図、二つの側面図をそれぞれ描くことができる。一方向から見た側面図が図Ⅲのようになる立体の平面図として考えられる図をa〜fのうちからすべて挙げてあるのはどれか。　　　　　　　　　[国家一般・税務職]

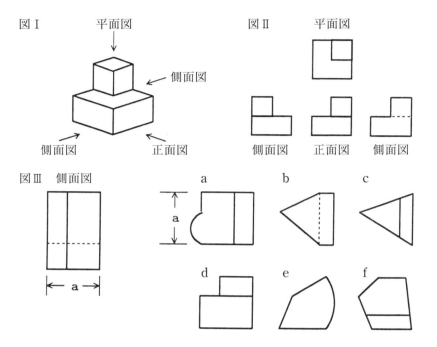

1　aとb
2　aとd
3　bとf
4　cとe
5　dとc

出題頻度　★

例　題

目の配置が同じサイコロ３つを図のように組み合わせたとき、互いに接する目の数の和はいくつか。なお、相対する面の目の数の和は、それぞれのサイコロにおいてすべて７である。

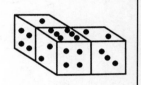

[国家一般・税務職]

1　11　　2　13　　3　14　　4　16　　5　19

解　説

相対する面の目の数の和が７になる普通のサイコロは次のA、Bのように２種類しかない。

それぞれのサイコロの１の面を親指、２の面を人差指、３の面を中指に対応させてみる（フレミングの左手の法則、右手の法則のように親指、人差指、中指をそれぞれ直角にする）と、Aのサイコロは左手に、Bのサイコロは右手に、それぞれ対応する。

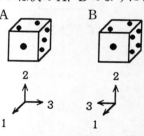

左手のサイコロ　　右手のサイコロ

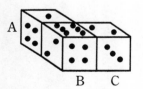

例題の場合、角のサイコロ（B）の目の位置関係より、右手のサイコロとわかる。これより、それぞれの目の位置を考えると下図のようになる。

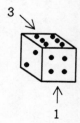

（「右手のサイコロ」の形をつくり、Cにあてはめると、２…人差し指が上、３…中指が手前になるから、そのとき親指は右を指しているはずで、１が右側である）

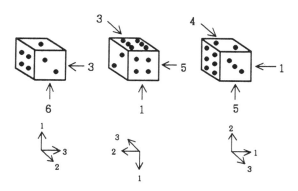

したがって、互いに接する目の数の和は、2 + 3 + 5 + 6 = 16

正答……4

演 習

168 図のように、相対する面の目の数の和が7
である同じサイコロが4個つなげて置いて
ある。この4個のサイコロの互いに接する
面（6面）の目の数の和はいくつか。

[県・政令都市]

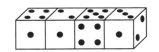

1　22
2　23
3　24
4　25
5　26

169 図のようにサイコロを並べて、互いに接する目の和が3または9となるようにしたとき、斜線で示した面の目の数として正しいものはどれか。ただし、サイコロの相対する面の和は7とし、かつサイコロの目の配置はすべて同じものとする。

[県・政令都市]

1 1
2 2
3 3
4 4
5 6

170 相対する面の目の和が7になるサイコロがある。図の位置からA方向（向こう側）へ4回、B方向（右側）へ1回、C方向（手前側）へ2回転がしたとき、上面にあらわれる目はいくつか。　[警察官]

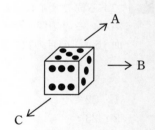

1 1
2 2
3 3
4 4
5 5

152

図のように、ア、イ、ウの三つのサイコロを並べ、アとイ、イとウの接する面の数の和がそれぞれ9になるようにしたとき、確実にいえるのはどれか。ただし、サイコロは三つとも目の配置が同じもので、相対する面の数の和は7である。

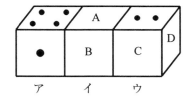

[海上保安等]

1　Aは1である。
2　Bは2である。
3　Cは3である。
4　Dは4である。
5　CとDの和は5である。

軌跡

例 題

図のように直角二等辺三角形 ABC を、直線 l 上を滑らないように転がし
ていった場合、頂点 B の描く曲線はどれか。　　　　　　　　[県・政令都市]

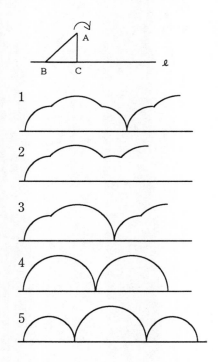

━━━ 解　説 ━━━

　軌跡の問題はどんな形になるか予想がたてにくい場合が多い。そこで、基本的なやり方は、軌跡を描く点がとりうる位置をできるだけ多く求め、それをつないでいくことである。ただし、例題のように三角形が直線上を回転していく場合などは、円弧を描くことは容易にわかる。そのような時には回転半径と屈折点（円弧と円弧がつながるところ）を考えればよいことになる。具体的な解き方を以下に示す。

　最初の位置から次にどのような位置まで回転するか考えると、図Ⅰのようになる。

　このとき、点Cを中心に半径BCの円弧を描くことがわかる。

　以上のような作業を続けていくと、図Ⅱのような軌跡を描くことがわかる。　　　　　　正答……3

図Ⅰ
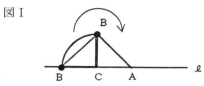

図Ⅱ
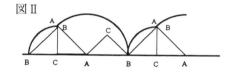

━━━●　演　習　●━━━

172 次の図のように、半円が直線上を滑らずに回転して移動するとき、中心Pが描く軌跡として、妥当なのはどれか。　　　　[東京消防庁]

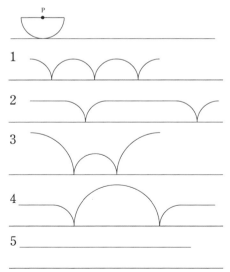

173 大きな正六角形の中に一辺の長さがちょうど半分の
小さな正六角形が図のように一つの頂点を共有して
接している。この小さな正六角形が滑ることなく大
きな正六角形の辺上を回転していくとき、小さな正
六角形の中心Pの描く軌跡として正しいのはどれか。

［市町村］

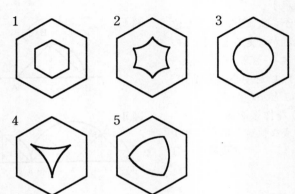

174 次の三つの図形をそれぞれ直線上を滑ることなく矢印の方向に回転させた場合、図形内の点A～Cが描く軌跡の組合せとして正しいのはどれか。　　　　　　　　　　　　　　　　　　　　　　　　　　　　[市町村]

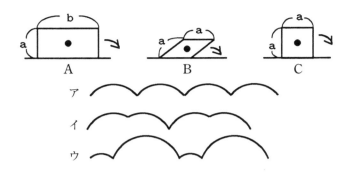

```
    A  B  C
1   ア イ ウ
2   イ ア ウ
3   イ ウ ア
4   ウ ア イ
5   ウ イ ア
```

175 図のようにOを中心とする円があり、直径の両端をA、Bとする。Aを出発して、円周上を1周する点Cがあるとき、線分ACの（C側の）延長上にAC＝CPとなるように点Pをとるとすると、点Pの描く軌跡は次のうちどれか。　　[市町村]

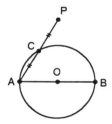

1　OAを半径とし、点Aを中心とする円
2　OBを半径とし、点Bを中心とする円
3　ABを通り、点Oを中心とするだ円
4　ABを半径とし、点Bを中心とする円
5　ABを長径とし、点Bを中心とするだ円

176 右図の直角二等辺三角形が直線 X，Y 上を、滑ることなく矢印の方向に回転するとき、三角形の頂点 P、P′ の描く軌跡として正しいのはどれか。　　　　　　　　　　　[市町村]

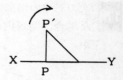

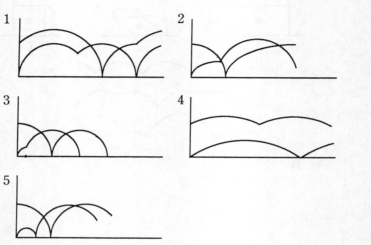

177 図はある図形を、直線 l 上を矢印の方向に滑らないように一回転させたときの、図形上の点 P の描く軌跡である。次のどの図形が当てはまるか。

[市町村]

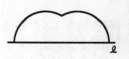

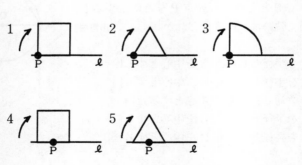

II - 11

断面図・回転体

例　題

下の立体をある平面で切断するとき、切断面の形として有り得ないものを選べ。

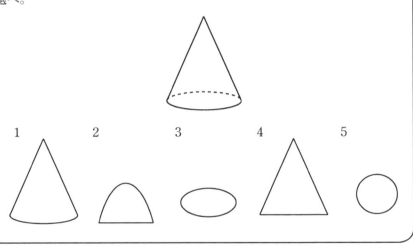

1　　　　　2　　　　　3　　　　　4　　　　　5

解　説

特徴ある立体の断面は覚えておくとよい。特に、立方体、円すいは覚えよう。

立方体の切断面

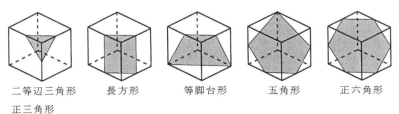

二等辺三角形　　長方形　　等脚台形　　五角形　　正六角形
正三角形

直円すいの切断面

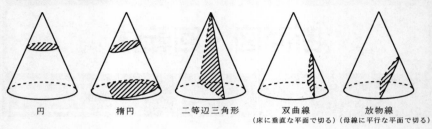

円　　　　　楕円　　　二等辺三角形　　　双曲線　　　　放物線
　　　　　　　　　　　　　　　　　（床に垂直な平面で切る）（母線に平行な平面で切る）

円柱の切断面

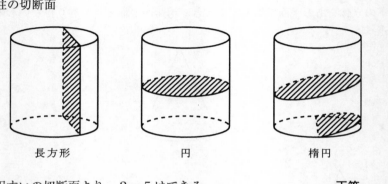

長方形　　　　　　　　円　　　　　　　　楕円

直円すいの切断面より、2〜5はできる。　　　　　　　正答……1

160

演 習

 図は半球と円すいからなる
地形を中心を通る鉛直平面
で切った断面図である。こ
の地形の等高線図として正
しいのはどれか。

[国家一般・税務職]

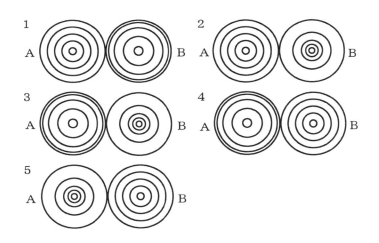

179 小立方体を 27 個はり合わせた図のような立方体を頂点 A、B、C を結ぶ平面で切断したとき、その切り口の図として正しいのは次のうちどれか。　　　　[市町村]

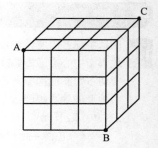

1

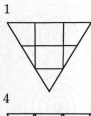

2

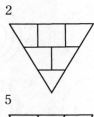

3

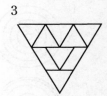

4

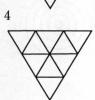

5

180 図のような立体がある。これは、ある平面
図形を回転軸の周りに回転させてできたも
のであるという。この平面図形はどれか。
ただし、図形上の直線は回転軸を表してい
る。　　　　　　　　　　　　　［県・政令都市］

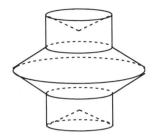

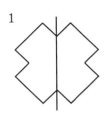

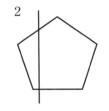

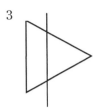

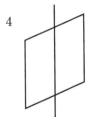

181 正四面体の一つの辺を軸とする回転体を、その軸に垂直な方向から見たものとして妥当なのはどれか。 　　　　　　　　　　　　　　　　　　　　　　　　　　　　　　　[国家一般・税務職]

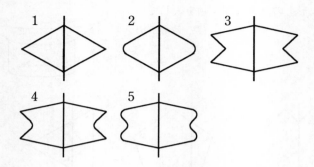

182 図のように、立方体を辺の中点A、B、Cを通るように切断したとき、切り口A、B、Cのなす角度はいくらか。

[海上保安等]

1　　90度
2　　100度
3　　110度
4　　120度
5　　130度

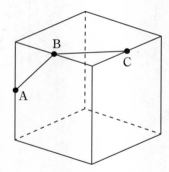

下記のサイトに、追補、情報の更新および訂正を掲載しております。
http://koumuin.info/book/shusei.html

公務員合格ゼミ **判断推理**

1993 年 4 月　初版発行
2020 年 4 月　10版発行

編著者　　　学校法人　公務員ゼミナール
　　　　　　大林　朗
発行者　　　三森正啓
発行所　　　学校法人　公務員ゼミナール
　　　　　　専門学校　公務員ゼミナール
　　　　　　〒 812-0016　福岡市博多区博多駅南 2-14-5
　　　　　　TEL 092-432-3591　FAX 092-432-3592
　　　　　　http://kouzemi.ac.jp/
　　　　　　専門学校　公務員ゼミナール熊本校
　　　　　　〒 860-0071　熊本市西区池亀町 5-5
　　　　　　TEL 096-325-6373　FAX 096-325-6380
　　　　　　http://www.kumamoto-koumuin.info/
発売元　　　株式会社　いいずな書店
　　　　　　〒 110-0016　東京都台東区台東 1-32-8　清鷹ビル 4F
　　　　　　TEL 03-5826-4370
　　　　　　振替 00150-4-281286
　　　　　　ホームページ https://www.iizuna-shoten.com
印刷・製本所　株式会社　ウイル・コーポレーション

装丁／駒田　康高

ISBN978-4-86460-514-4 C2040

公務員合格ゼミ

これで合格

判断推理

解答・解説書

学校法人 公務員ゼミナール
大林　朗 編著

いいずな書店

I　判断推理

I −1　命題・論理

［1］　正答5

条件の命題を記号化し、それぞれ対偶をつくる。

兄→弟　　　　　　　$\overline{弟}→\overline{兄}$

　　　　　　対偶　　　　　　

$\overline{妹}→\overline{弟}$　　　　　弟→妹

以上の4つの命題が正しくいえることになる。

　次に選択肢を記号化し、上の4つの命題をしりとり（三段論法）でつないで、結論が一致するかどうか調べる。

1　兄→$\overline{弟}$　×
2　弟→兄　弟→妹→×
3　弟→妹　弟→$\overline{兄}$→×
4　妹→兄　×
5　妹→兄　妹→$\overline{弟}$→兄　○

［2］　正答4

条件の命題を記号化し、それぞれ対偶をつくる。

ア　芸→感　　　$\overline{感}→\overline{芸}$
イ　創→芸　　　$\overline{芸}→\overline{創}$
ウ　創→自　　　$\overline{自}→\overline{創}$

　選択肢を記号化し、上の6つの命題をしりとり（三段論法）でつないで、結論が一致するかどうか調べる。

1　感→芸　×
2　芸→自　芸→感→×
3　自→感　×
4　感→創　感→$\overline{芸}$→創　○
5　創→自　×

［3］　正答2

条件の命題を記号化し、それぞれ対偶をつくる。

美→繊　　　$\overline{繊}→\overline{美}$
チ→き　　　$\overline{き}→\overline{チ}$
繊→$\overline{き}$　　　き→$\overline{繊}$

　選択肢を記号化し、上の6つの命題をしりとり（三段論法）でつないで、結論が一致するかどうか調べる。

1　チ→繊　チ→き→$\overline{繊}$→×
2　チ→$\overline{美}$　チ→き→$\overline{繊}$→$\overline{美}$　○
3　繊→き　繊→$\overline{美}$→×
4　き→美　き→$\overline{繊}$→$\overline{美}$→×

5　繊→美　繊→$\overline{き}$→$\overline{チ}$→×

[4]　正答5

各選択肢で、2つの条件から、「ゆえに」以下の結論が導かれるかどうかを調べる。

1　初→す　$\overline{す}$→$\overline{初}$
　　り→す　$\overline{す}$→$\overline{り}$
　∴初→り　初→$\overline{す}$→×

2　美→プ　$\overline{プ}$→$\overline{美}$
　　優→美　$\overline{美}$→$\overline{優}$
　∴プ→$\overline{優}$　×

3　新→心　$\overline{心}$→$\overline{新}$
　　5→新　$\overline{新}$→$\overline{5}$
　∴心→5　×

4　甘→虫　$\overline{虫}$→$\overline{甘}$
　　男→甘　$\overline{甘}$→$\overline{男}$
　∴女→虫　女＝男だから、「ゆえに」以下は、$\overline{男}$→虫と書ける。　$\overline{男}$→虫　×

5　若→努　$\overline{努}$→$\overline{若}$
　　努→苦　$\overline{苦}$→$\overline{努}$
　∴$\overline{苦}$→$\overline{若}$　$\overline{苦}$→$\overline{努}$→$\overline{若}$　○

[5]　正答5

条件の命題ア、ウを記号化し、対偶をとると次のようになる。
　ア　歴→英　$\overline{英}$→$\overline{歴}$
　ウ　運→音　$\overline{音}$→$\overline{運}$
　エは結論であるから英→運となるよう命題をしりとり（三段論法）でつなぐとすると、アの対偶
英→$\overline{歴}$　とウの対偶　$\overline{音}$→運　をつなぐ「$\overline{歴}$→$\overline{音}$」があれば、
　英→$\overline{歴}$→$\overline{音}$→運　となり、しりとり（三段論法）が成立する。
　イの文として　$\overline{歴}$→$\overline{音}$　またはその対偶である　音→歴　のいずれかが入れば良い。
　選択肢5は、$\overline{歴}$→$\overline{音}$　だから、正しい。

[6]　正答3

「運動部の人は筋力があって、かつ、敏捷性がある」を記号化すると、
運→筋∩敏　となるが、これは次のように2つに分けられる。
運→筋
運→敏
これらの対偶をとると次のようになる。
$\overline{筋}$→$\overline{運}$
$\overline{敏}$→$\overline{運}$
選択肢3は、$\overline{筋}$→$\overline{運}$　だから、正しい。

[7]　正答5

条件の命題を記号化し、その対偶をとると、

ア　$\overline{音} \cup \overline{ス} \to 読$

　　$\overline{音} \to 読$　　$\overline{読} \to 音$

　　$\overline{ス} \to 読$　　$\overline{読} \to ス$

イ　映→旅　　$\overline{旅} \to \overline{映}$

ウ　読→映　　$\overline{映} \to \overline{読}$

以上より選択肢を調べると、次のようになる。

1　$\overline{ス} \to 読$　×

2　旅→映　×

3　映→$\overline{音}$　　映→旅→×　　映→読→$\overline{音}$×

4　$\overline{ス} \to \overline{音}$　　$\overline{ス} \to 読 \to \overline{映} \to$×

5　映→$\overline{音}$　　映→読→$\overline{音}$○

[8]　正答5

条件の命題を記号化し、対偶をとる。

　英→旅　　　$\overline{旅} \to \overline{英}$

　中→歴　　　$\overline{歴} \to \overline{中}$

　中→英　　　$\overline{英} \to \overline{中}$

　絵→フ∩英

　絵→フ　　　$\overline{フ} \to \overline{絵}$

　絵→英　　　$\overline{英} \to \overline{絵}$

　歴→旅　　　$\overline{旅} \to \overline{歴}$

以上をもとに選択肢を調べると次のようになる。

1　$\overline{フ} \to 旅$　　×

2　歴→絵　歴→中→英→$\overline{絵}$　　×

3　$\overline{フ} \to 英$　　×

4　中→$\overline{フ}$　中→英→$\overline{絵}$→×

5　絵→旅　絵→英→旅　　○

[9]　正答1

「フランス語を話せる者」を「フ」のように表すことにする。

「もしフランス語を話せる者が存在すれば、その者はドイツ語を話せる。」は図①のようになる。

「ドイツ語と英語の両方を話せる者は存在する。」より、図②のような関係がわかる。

「フランス語、ドイツ語、英語のすべてを話せる者は存在しない。」より、フランス語と英語が交わりを持ってはいけないことがわかるので、図③のような図ができる。

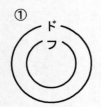 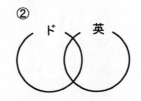 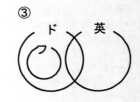

[１０] 正答3

「体の丈夫な人」を「体」のように表すとする。

Ａは図①のように表せる。

Ｂは図②のように表せる。

Ｃは図③のように２つの集まりが、交わりをもつような関係である。

図①～③をあわせた図は図④のようになる。

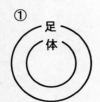  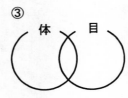 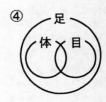

[１１] 正答1

「さといもが好きな人」を「さ」のように表すとする。

「さといもが好きな人は、すべて、だいこんが好きである。」は図①のようになる。

「なすが好きな人は、すべて、さといもが好きである。」は図②のようになる。

「かぼちゃが好きでない人の中には、さといもが好きな人はいない。」は記号で表すと「か→さ」となるが、この対偶も正しくいえるから、「さ→か」がいえることになる。これは図③のように表せる。

かぼちゃとだいこんはどのようになるか関係が書かれていない。このような場合は、図④のように交わらせるとよい。

図①～④をまとめると、図⑤のようになる。

したがって、さといもはＡである。

   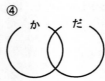 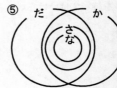

Ⅰ-2　暗号・規則性

［12］　正答2

　ヤ　サ　シ　イ　ヒ　ト
　25　75　74　94　44　61　　という対応をしているので、これを50音表に入れて、規則を考えると次のようになる。

	9	8	7	6	5	4	3	2	1	
	ア	カ	サ	タ	ナ	ハ	マ	ヤ	ラ	ワ
5　ア			75					25		
4　イ		94	74			44				
3　ウ										
2　エ										
1　オ				61						

　　　　左表より、カ　ミ　ナ　リ
　　　　　　　　　　85　34　55　14
　　　　と解読できる。

［13］　正答5

　あ　　き　　の　　ゆ　　う　　ひ
1÷1、4÷2、25÷5、24÷8、3÷1、12÷6　という対応をしている。

　これを50音表に入れて、規則を考える。このとき、割り算の答えもあわせて書き入れると次のようになる。

→割る数

		1	2	3	4	5	6	7	8	9	10
		ア	カ	サ	タ	ナ	ハ	マ	ヤ	ラ	ワ
割 1	ア	1÷1=1									
り 2	イ		4÷2=2				12÷6=2				
算 3	ウ	3÷1=3							24÷8=3		
の 4	エ										
答 5	オ					25÷5=5					

↓割り算の答

　暗号表より、
　　ふ　　　　く　　　　お　　　　か
18÷6＝3、6÷2＝3、5÷1＝5、2÷2＝1と解読できる。

［14］　正答2

　た　　か　　う　　じ
4・1、2・1、1・3、13・2　という対応をしているが、「じ」という濁音のときだけ「13」という二桁の数が使われているので、十代の数は濁音を示すと考えられる。したがって、「し」は「3・2」であると推測できる。

これらをもとに暗号表を考えると次のような規則がわかる。

		1 ア	2 カ	3 サ	4 タ	5 ナ	6 ハ	7 マ	8 ヤ	9 ラ	10 ワ
1	ア		2・1		4・1						
2	イ			3・2							
3	ウ	1・3									
4	エ										
5	オ										

また図Ⅰは次のような対応をしていると考えられる。

図Ⅰ

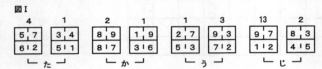

上の対応の中で、例えば $\begin{array}{c|c}5&7\\\hline6&2\end{array}$ から、「4」がどのようにして、でてくるか考えてみると、

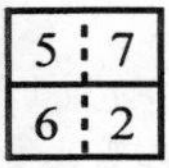

$(5 + 7) - (6 + 2) = 4$ となっていることがわかる。以下どれもこの規則に従っていることが確認できる。この規則により、図Ⅱを考えてみると次のとおり。

図Ⅱ

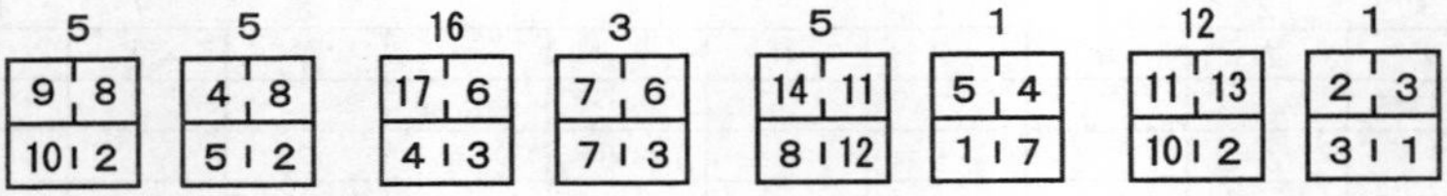

5	5	16	3	5	1	12	1
$\begin{array}{c\|c}9&8\\\hline10&2\end{array}$	$\begin{array}{c\|c}4&8\\\hline5&2\end{array}$	$\begin{array}{c\|c}17&6\\\hline4&3\end{array}$	$\begin{array}{c\|c}7&6\\\hline7&3\end{array}$	$\begin{array}{c\|c}14&11\\\hline8&12\end{array}$	$\begin{array}{c\|c}5&4\\\hline1&7\end{array}$	$\begin{array}{c\|c}11&13\\\hline10&2\end{array}$	$\begin{array}{c\|c}2&3\\\hline3&1\end{array}$

これを暗号表より解読すると、次のようになる。
の　　　ぶ　　　な　　　が
5・5、16・3、5・1、12・1

[15]　正答3
ＩＡＭＡＢＯＹ
19,11,23,11,12,35,25 と対応する。
これらをアルファベット表に入れて規則を考えると次のようになる。
ＡＢＣＤＥＦＧＨＩＪＫＬＭ
11 12 13 14 15 16 17 18 19 20 21 22 23
ＮＯＰＱＲＳＴＵＶＷＸＹＺ
36 35 34 33 32 31 30 29 28 27 26 25 24
以上より、

ITISCLOUDYTODAY
19 30 19 31 13 22 35 29 14 25 30 35 14 11 25

と解読できる。

[16] 正答4

暗号　DRQH　　HWN
原文　BIRD　　DOG　という対応をしている。
これらをアルファベット表に入れて規則を考えると次のようになる。

暗号	A	B	C	D	E	F	G	H	I	J	K	L	M
原文	Z	A	Y	B	X	C	W	D	V	E	U	F	T

暗号	N	O	P	Q	R	S	T	U	V	W	X	Y	Z
原文	G	S	H	R	I	Q	J	P	K	O	L	N	M

暗号表より、OVC
　　　　　SKYと解読できる。

[17] 正答4

Aが00で表されているから位置を表していることが推測できる。
そこで座標にアルファベットを当てはめると図①のようになる。

図①

5						Z
4			R			
3		L				
2				I		
1		B				
0	A					
	0	1	2	3	4	5

これに他のアルファベットを当てはめると図②のようになる。

図②

5		V	W	S	Y	Z
4		Q	R	S	T	U
3		L	M	N	O	P
2		G	H	I	J	K
1		B	C	D	E	F
0	A					
	0	1	2	3	4	5

したがって、「EGYPT」は「41、12、45、53、44」となる。

[18]　正答2
　　例文の文字を1つおきに消してみると次のようになる。
　　　K̶B̶C̶I̶F̶W̶O̶A̶M̶K̶L̶O̶D̶　　「びわこ」と読める。
　　これと同じように暗号を読んでみると
　　　O̶N̶N̶O̶M̶T̶L̶O̶K̶H̶J̶A̶I̶N̶H̶T̶O̶H̶　　　「のとはんとう」と解読できる。

[19]　正答5

A：てるしぼくのおにおまうやどねんふせ

　　上のような規則がある。これに従っているのは選択肢5である。

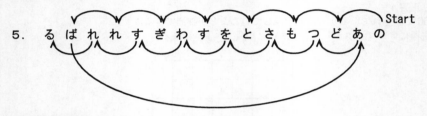

5. るばれれすぎわすをとさもつどあの

　　のどもとすぎれば熱さを忘れる。

[20]　正答5
　　例文がないが、これは文字を置き換えただけの暗号の特徴である。
　　3つの部分に分けられているので、3行に書いてみて、意味のある読み方を考えると次のように
なる。

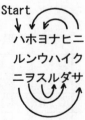

「春に咲く日本を代表する花」と読める。

[２１]　正答 4

差をとると次のような規則があることがわかる。

第 20 項は 213 である。

[２２]　正答 5

次のような規則があることがわかる。

☆ = ＋，◇ = ÷ 2

4　☆　2　◇　　3　　は (4 + 2) ÷ 2 = 3　となる
5　☆　7　◇　　6　　は (5 + 7) ÷ 2 = 6　となる
9　☆　5　◇（　）は (9 + 5) ÷ 2 = 7　となる
6　☆　4　◇　　5　　は (6 + 4) ÷ 2 = 5　となる
8　☆　6　◇　　7　　は (8 + 6) ÷ 2 = 7　となる

[２３]　正答 1

次のような規則があることがわかる。

2 ● 3 = (2 + 3) + (2 × 3) = 5 + 6 = 11

3 ● 5 = (3 + 5) + (3 × 5) = 8 + 15 = 23

4 ● 2 ● 1 は　まず 4 ● 2 をすると　(4 + 2) + (4 × 2) = (6 + 8) = 14 となり

次に 14 ● 1 をする。(14 + 1) + (14 × 1) = 15 + 14 = 29

同様に 3 ● 4 ● 5 = ((3 + 4) + (3 × 4)) ● 5 = 19 ● 5 = (19 + 5) + (19 × 5) = 24 + 95

= 119　となる。

Ⅰ-3 試合と勝敗に関する問題

[24] 正答5

	A	B	C	D	E	F	
A		○	×	○	○	○	4-1
B	×		×		×	×	
C	○	○		○	○	○	5-0
D	×		×		×	×	
E	×	○	×	○		○	3-2
F	×	○	×	○	×		2-3

・Cが全勝
・Aの負けた相手はCより、AはB、D、E、Fに○
・Eの負けた相手はA、Cより、EはB、D、Fに○
・Fの負けた相手はA、C、Eより、FはB、Dに○
以上より左表ができる。

[25] 正答2

	A	B	C	D	E	F	
A		○	○	○	○	○	5-0
B	×			×	×		1-?-?
C	×			×	×		?-?-1
D	×	○	○		×	○	3-2
E	×	○	○	○		○	4-1
F	×			×	×		

・Aは5-0→EはB、C、D、Fに○
→DはB、C、Fに○
以上より左表ができる。

[26] 正答3

	A	B	C	D	E	F	
A		○	○	○	○	○	5-0
B	×		○	○	○	○	4-1
C	×	×		○	○	○	3-2
D	×	×	×				1-3-1
E	×	×	×				1-?-?
F	×	×	×				

・Aは5-0
・Bは4勝→BはC、D、E、Fに○
・Cは3勝→CはD、E、Fに○
以上より左表ができる。
Dは1-3-1で、すでに3敗した相手がわかっているから、残りのE、Fの一方に勝ち、他方に引き分けということになる。すると、Eから見れば、Dに対しては負けか引き分けになり、Eがあげた1勝はDではないことになる。したがって、Eが勝ったのはFである。

［２７］　正答４

①

	A	B	C	D	E	
A				○	○	3-1
B			×			
C	×	○		○	○	3-1
D	×		×			3-1
E			×			

② Ⅰ　AがCに負けたとき

	A	B	C	D	E	
A		○	×	○	○	3-1
B	×			×	×	
C	○	○		×	○	3-1
D	×	○	○		○	3-1
E	×		×	×		

③ Ⅱ　AがDに負けたとき

	A	B	C	D	E	
A		○	○	×	○	3-1
B	×		×	×		
C	×	○		○	○	3-1
D	○	○	×			3-1
E	×		×	×		

引き分けはないのでA、C、Dは3-1である。ここで、AがCにもDにも勝ったと仮定して考えてみよう。（表①）そうすると、CはB、D、Eに勝ったことになる。しかし、Dも3勝していなければならないのに、すでに2敗していることになり、おかしい。

これは最初にAがCにもDにも勝ったと仮定したことが誤りだったことを示す。したがって、AはCかDかの一方に敗れたことになるのである。つまり、リーグ戦で1敗が3チームあれば、三つ巴（その3チーム内に負けた相手がいる）になっているのである。以上より考えられるのは、

Ⅰ　AがCに負けたとき
Ⅱ　AがDに負けたとき

の2とおりである。それを表②、表③に示す。

［２８］　正答３

図Ⅰのようにア〜オの記号をおく。
条件より、①× B － E○、②× E － D○
①ではEは勝ち、②ではEは負けているから、①の方が先にあった試合であることがわかる。
③より、Dはアではないから、図ⅡのようにウがE、エがB、オがDと決まる。
③より、Aはアではないから、イと決まり、残ったCがアとわかる。（図Ⅲ）

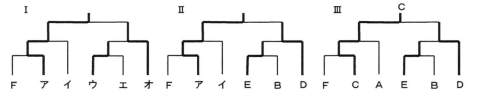

[29] 正答3
条件より、次のことがわかっている。
　　○秋－木×、○山－梅×、○武－山×
山中の結果から、山中対梅田戦の方が、武藤対山中戦よりも先にあったことがわかる。
これをもとにいろいろなケースを考えてみると、次の2つの組合せしかありえない。

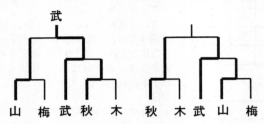

[30] 正答3

I

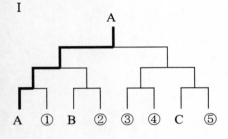

図Iのように残りの組合せを①～⑤とおく。
　①は1回戦でAに負けている。このこととア～ウの条件より、E、D、F、Gは①ではない。したがって、①はHである。
　②は仮に1回戦でBに勝ったとすると、2回戦でAに負けている。このことと、アよりEとDは②ではないことがわかる。よって②はFかGである。
　また⑤にDかEのどちらかが入っていたとすると、アより、2回戦でEとDが対戦したことになるが、その場合、Eが決勝に出たことになりアに反する。したがって、E、Dは③、④のいずれかである。
　以上より、図Ⅱができる。
　アより、Eは決勝に出れなかったから、2回戦で負けた。そうすると、Cか⑤が決勝に出たことになる。⑤はFかGであるが、イより、2回戦でFは負け、ウより、GとAは対戦しなかったから、いずれにせよCが決勝に出たことになる。⑤は1回戦負けで、イより、Fではないことになり、⑤はGとわかる。したがって、②がFである。
　以上より、図Ⅲができる。

II

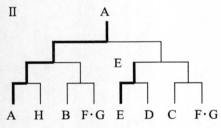

III

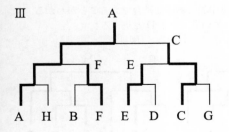

[31] 正答5

　引き分けがなければ、1試合に1チームが負ける。そして負ければそこで終わりである。最後まで負けないチームは優勝チームだけであるから、試合数はチーム数マイナス1である。

　19チームが参加しているから試合数は19 − 1 = 18試合となる。

　決勝（1試合）＋準決勝（2試合）＋3回戦（4試合）＋2回戦（8試合）＝15試合

　18 − 15 = 3試合が1回戦となり、2回戦以降の試合数は15試合となる。

参考図

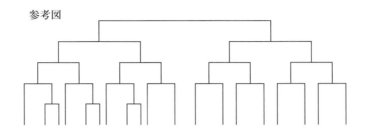

I − 4　うそと本当の問題

[32]　正答1

①
順位	1	2	3	4	5
A	C	A			
B		D ×	B ○		
C			E ×	C ○	
D			D ×	A ○	
E	E				B

発言者

②
順位	1	2	3	4	5
A	C ○	A ×			
B		D ○	B ×		
C			E ○	C ×	
D			D ×	A ○	
E	E ×				B ○

発言者

　まず、発言内容をそのまま表にする。
　そのうち1人の発言の片方を本当もう一方をうそと仮定して全体を調べる。その結果、矛盾が生じれば、最初の仮定は誤りで、改めて、全体を調べ直す。矛盾が生じなければ最初の仮定は正しかったことになる。
　ここでは、Bの発言の「私は3着」を本当の発言と仮定してみよう。

・B3 ○ と仮定 → D2 × → E、D3 × → C4 ○、A4 ○ となりCもAも4着であるという矛盾が生じる。（表①）
　したがって、最初に「Bが3着」が正しいと仮定したことが誤りであることがわかる。それで、「Bは3着」はうそとして、全体を調べ直す。（表②）

・B3 × → D2 ○ → A2 × → C1 ○ → C4 × → E3 ○ → D3 × → A4 ○
・C1 ○ より、E1 × → B5 ○
　以上より表②ができる。

－ 13 －

[33] 正答1

	1	2	3	4	5
A		D○			A×
B		C×	B○		
C		C×		A○	
D	B×	D○			
E				C×	E○

発言内容をそのまま表にする。

そのうちある1人の発言の片方を本当他方をうそと仮定し全体を調べる。その結果矛盾が生じれば最初の仮定は誤りで、改めて全体を調べ直す。矛盾が生じなければ、仮定は正しいことになる。

ここでは、Aの発言の「Dが2着」が本当として仮定してみる。

・Dが2と仮定→A5×、B1×、C2×→B3○、A4○→C4×→E5○

以上より表ができる。矛盾は生じてないから、最初の仮定は正しい。1着は残ったCである。

[34] 正答1

①

	1	2	3	4	5
A	D				A
B		B×	E○		
C		C○	D×		
D		E○	D×		
E				E	B

②

	1	2	3	4	5
A	D×				A○
B		B○	E×		
C		C×	D○		
D		E×	D○		
E				E○	B×

発言内容をそのまま表にする。そのうち、ある1人の発言の片方を本当、他方をうそと仮定し、全体を調べる。その結果、矛盾が生じれば最初の仮定は誤りで、改めて全体を調べ直す。矛盾が生じなければ、仮定は正しいことになる。

ここでは、Bの発言の「Eが3着」が本当として仮定してみる。(表①)

・Eが3と仮定→B2×、D3×→C2○、E2○

以上より、表①ができるが、Eが2着でもあり、3着でもある、という矛盾が生じる。したがって、「Eが3着」が本当と仮定したことが誤りであったことが　わかる。そこで、「Eが3着でない」をもとに全体を調べ直す。(表②)

・E3×→B2○→C2×、E2×、B5×→D3○、E4○→D1×→A5○

以上より表②ができる。残ったCが1着である。

- 14 -

[35] 正答4

① 外国人の候補者名

		A	B	C	D	E	F	G
発言者	A					○	○	
	B	○		○				○
	C	×						×
	D		○					○
	E		×	×		×		×
	F							
	G				○	○	○	

② 外国人の候補者名

		A	B	C	D	E	F	G
発言者	A	×	×	×	×	○	○	×
	B	○	×	○	×	×	×	○
	C	×	○	○	○	○	○	×
	D	×	○	×	×	×	×	○
	E	○	×	×	○	×	○	×
	F	×	○	○	×	×	×	×
	G	×	×	×	○	○	○	×

まず発言内容をそのまま表にする。「外国人である」という趣旨の発言を○、「外国人でない」という趣旨の発言を×として表す。以上より、表①のようになる。

次に各人の発言で、空欄になっている部分に現在埋まっている記号と反対の記号を埋めていく。例えば、Aの発言では、E、F以外の人は外国人ではないと言っていることに他ならないので、×を入れる。Cの発言では、外国人はA、G以外の人であると言っていることに他ならないので、○を記入する。他の人の発言に関しても同様に記入すると、表②のようになる。

そしてA～Gの各人が外国人と仮定したとき、本当のことを言っている人数は次のようになる。（縦の欄で○の数を数えるとよい。）
A:2人、B:3人、C:3人、D:3人、E:3人、F:4人、G:2人

条件にあっている（本当のことを言っているのが4人になる）のは、Fが外国人と仮定したときである。

[36] 正答5

咲いた花の色が①赤のとき、②黄色のとき、③ピンクのとき、④白のとき、のように仮定して考える。

①赤のとき
　A：うそ、B：本当、C：本当
②黄色のとき
　A：うそ、B：うそ、C：本当
③ピンクのとき
　A：本当、B：うそ、C：うそ
④白のとき
　A：本当、B：本当、C：うそ

以上より、「1人だけが本当のことを言っている」場合は、②か③のときであるから、黄色かピンクが咲いたことになる。

[３７] 正答4
　選択肢の中に正しい組合せはあるので、各選択肢が正しいと仮定したときに、条件どおりになるものを選べばよい。
　選択肢1が正しいとき＝営業課1、管理課4、企画課7
→Aがすべて正しい　∴条件に反する。
　選択肢2が正しいとき＝営業課1、管理課4、企画課9
→Bがすべて間違い　∴条件に反する。
　選択肢3が正しいとき＝営業課1、管理課5、企画課8
→Dがすべて間違い　∴条件に反する。
　選択肢4が正しいとき＝営業課1、管理課5、企画課9
→条件どおり
　選択肢5が正しいとき＝営業課1、管理課6、企画課7
→Cがすべて間違い　∴条件に反する。

[３８] 正答4
　「食べた2人は互いに相手の名前を言わず」という条件を使って考えるとよい。また選択肢の中に正答があるので、選択肢で場合分けするのがこつである。
1．AとD……AがDの名前を挙げている。×
2．AとE……EがAの名前を挙げている。×
3．BとC……B、C共に相手の名前を挙げている。×
4．BとE……B、E共に相手の名前を挙げていない。○
5．CとE……CがEの名前を挙げている。×

[３９] 正答3
　全て真実を言っている人が、Ⅰ．Aの場合、Ⅱ．Bの場合、Ⅲ．Cの場合の3とおりに場合分けして考えてみる。
Ⅰ．Aが正しい場合
　　A：川、B：山、C：海
　Bの発言「川に行ったのはC」→うそ、「海に行ったのはA」→うそ
　Cの発言「川に行ったのはB」→うそ、「海に行ったのはA」→うそ
　条件に合っていない。
Ⅱ．Bが正しい場合
　　A：海、B：山、C：川
　Aの発言「山に行ったのはB」→本当、「海に行ったのはC」→うそ
　Cの発言「川に行ったのはB」→うそ、「海に行ったのはA」→本当
　条件に合っていない。
Ⅲ．Cが正しい場合
　　A：海、B：川、C：山
　Aの発言「山に行ったのはB」→うそ、「海に行ったのはC」→うそ
　Bの発言「川に行ったのはC」→うそ、「海に行ったのはA」→本当
　条件に合っている。

Ⅰ－5　対応関係

［40］　正答3

	日	中	ア	イ
A		×	×	
B	×	×	○	×
C	×	○	×	×
D		×		

・アより、A は中×
・イより、B は日×
・ウより、B はイ×
・エより、B、D は中×→ B ア○、C 中○
　→A、C、D ア×→C 日、イ×
　以上より左表ができる。

［41］　正答1

	1	2	3	2	2
	赤	白	青	黄	緑
A	×	×	○	○	×
B	×		×		○
C	×	○	○	×	×
D	×		×		○
2 E	○	×	○	×	×

・A より、A 黄○、白×
・B より、B 緑○、青×
・C より、C 白○、黄×
・D より、D 緑○、青×
　→緑2人より、A、C、E 緑×
　→青3人より、A、C、E 青○
・E より、E 赤○→赤1人より、A〜D 赤×、E2色より、E 白、黄×
　以上より左表ができる。

［42］　正答3

	赤	青	黄	緑	黒
A	○				×
B	○	×	×	○	×
C	×	○	×	○	×
D	×	○	×	×	○
E			×	×	

・イより、A、B は赤○、C は赤×
・ウより、C、D は青○、黄×
・エより、B は緑○、D は黒○
　→ B は青、黄、黒×、D は赤、緑×
・オより、E は黄、緑×
・アより、B と色の組合せが同じになるから、A は緑×
・アより、D と色の組合せが同じになるから、C は黒×
　→ C は緑○

　以上より、上表ができる。
　ここで、E の色の組合せを考えると、（赤、青）、（赤、黒）、（青、黒）の3とおりが考えられるが、（青、黒）はD と同じ組合せで、アに反する。したがって、E は（赤、青）、（赤、黒）のいずれかになり、必ず赤を使っている。

[43] 正答1

○：もってきた物
△：もらった物
×：どちらでもない物
　以上のような記号を表に記入していく。
・イより、Aはサ△
・ウより、Bはマ△
・エより、Cは人○
・オより、Dはゲ○
・A、Bは人、ゲをもってきていないから×
・C、Dはマ、サをもらっていないから×
　以上より、表①ができる。
・オより、ゲームソフトをもらったのは、C、Eのどちらかに限られるが、サッカーボールをもってきた可能性があるのはEだけである。よって、Eはゲ△、サ○→Eは人、マ、ロ×、Cはゲ×、Bはサ×→Cはロ△、Aはマ○、Bはロ○、Dは人△→Aはロ×、Dはロ×
　以上より、表②ができる。

①
	人	マ	ゲ	サ	ロ
A	×		×	△	
B	×	△			
C	○	×		×	
D		×	○	×	
E					

②
	人	マ	ゲ	サ	ロ
A	×	○	×	△	×
B	×	△	×	×	○
C	○	×	×	×	△
D	△	×	×	×	×
E	×	×	△	○	×

[44] 正答1

	野	サ	山	1	2	3
A	×	○	×	×	×	○
B	×	×	○	×	○	×
C	○	×	×	○	×	×
1	○	×	×			
2	×	×	○			
3	×	○	×			

　人物、クラブ、学年と調べるものが3種類あるときは表は左のように3つできる。
・Aは1×
・Bはサ×
・Cは野○→A、Bは野×、Cはサ、山×
　　→Aはサ○、Bは山○→Aは山×
・山は2○→1、3は山×、2は野、サ×
・表より、Bは山で、山は2だから、Bは2○
　→A、Cは2×、Bは1、3×→Aは3○、Cは1○→Cは3×
・表より、Cは野、1だから、野は1○→1はサ×、3は野×→3はサ○
　以上より、表ができる。

- 18 -

[４５]　正答5

- ・アより、山内はA市×
- ・イより、B市は西高○
- ・ウより、C市は佐藤、東高×　また、佐藤は東高○
  - →東高はA○→南高はC○→東高なのは佐藤で、Aだから、佐藤はA○
  - 以上より、表①ができる。
- ・A市は佐藤であるが、アより佐藤と山内が同じ身長
  - →ウより、佐藤より身長が低いのは小林であるから、C市は小林○→B市は山内○→小林は南高○、山内は西高○
  - 以上より、表②ができる。

①

	A	B	C	東	西	南
小	×			×		
佐	○	×	×	○	×	×
山	×				×	
東	○	×	×
西	×	○	
南	×	×	○

②

	A	B	C	東	西	南
小	×	×	○	×	×	○
佐	○	×	×	○	×	×
山	×	○	×	×	○	×
東	○	×	×
西	×	○	
南	×	×	○

[４６]　正答2

		金	パ	魚	電	薬	新	池	上	品	渋
女	A	×	○	×	×	×	×	○	×	×	×
女	B	×	×	×	○	×	○	×	×	×	×
男	C	×	×	○	×	×	×	×	×	○	×
男	D	×	×	×	×	○	×	×	○	×	×
男	E	○	×	×	×	×	×	×	×	×	○
	新	×	×	×	○	×
	池	×	○	×	×	×
	上	×	×	×	×	○
	品	×	×	○	×	×
	渋	○	×	×	×	×

A～Eと職業、A～Eと住所、住所と職業の3つの表ができる。

- ・アより、パは新×
- ・イより、薬は上○
- ・ウより、Eは金○、Eは品×、金は品×
- ・エより、Aは新×
- ・オより、Dは上○
  - →上は薬○であるから、Dは薬○
- ・カより、A、Bは品×→Cは品○
- ・キより、渋は男であるから、A、Bは渋×、魚は男であるから、A、Bは魚×、渋は魚×→Cは魚○、Aは池○、Bは新○、Eは渋○
- ・Bは新○であるが、新はパ×だから、Bはパ×→Bは電○、

Aはパ○→新は電○、　池はパ○、品は魚○、渋は金○
以上より、表が埋まる。

[47]　正答4
　　アより、仮にAとDが100m走だとすると、あと100m走は1人だけである。
　　イより、B、C、Eの中に100m走が1人だけいる。
　　ウより、C、E、Fの中に100m走が1人だけいる。
　　したがって、CかEのどちらかが100m走で、B、Fは400m走である。
　　アで行った仮定を逆にして、AとDが400m走とした場合は、100m走と400m走が逆になるだ
けだから、B、Fが100m走ということになる。
　　いずれにしても、B、Fは同じ種目に出場する。

[48]　正答1
　　4つの条件があり、それぞれを図で表すと次のようになる。
　　① AとDは違う……… (A) | (D)
　　② BとCは違う……… (B) | (C)
　　③ EとAは同じ……… (A、E)
　　④ DとBは違う……… (B) | (D)
　　①と③を組み合わせると……… (A、E) | (D)
　　これに④を組み合わせると……… (A、B、E) | (D)
　　さらに②を組み合わせると……… (A、B、E) | (C、D)

[49]　正答4
　　次のように条件に①～④の番号をつける。
①ある年にはA、B、C、D、Fで山へ行った。
②ある年にはA、C、D、E、Fで海へ行った。
③ある年にはB、C、E、Fで温泉へ行った。
④ある年にはA、E、Fで山へ行った。
　　①、②の2つの条件を比べてみると、BとEが入れ替わっているだけであるが、行き先が山から
海に変わっている。よって、①は山3人、海2人、②は海3人、山2人であることがわかる。また、
B：山、E：海であることもわかる。
　　E：海だから、④より、A、Fは山である。
　　③では、B：山、E：海、F：山だから、C：海である。
　　①では、A：山、B：山、C：海、F：山だから、D：海である。
　　以上より、A：山、B：山、C：海、D：海、E：海、F：山とわかる。

[５０]　正答２

　　毎回１人の左投げが入っているから、アを基準とすると①のようになる。

　　次にイの条件からＢＣＤＦのうち左投げは１人いるから②のようになる。

　　ウも同様にすると③のようになる。

　　③の４通りのうち、エの条件に該当するのは◎をつけた２通りである。

①	A	B	C	D	E	F
A が左投げのとき	左	右	右	右		
B が左投げのとき	右	左	右	右		
C が左投げのとき	右	右	左	右		
D が左投げのとき	右	右	右	左		

②	A	B	C	D	E	F
A が左投げのとき	左	右	右	右		左
B が左投げのとき	右	左	右	右		右
C が左投げのとき	右	右	左	右		右
D が左投げのとき	右	右	右	左		右

③	A	B	C	D	E	F
◎	左	右	右	右	右	左
×	右	左	右	左	右	右
×	右	右	左	右	右	右
◎	右	右	右	左	右	右

[５１]　正答５

　　Ｄが自分の帽子の色が赤であるとわかったわけであるから、Ａ～Ｃの帽子の色を全体（白２、赤３）から除くと、赤しか残らない状態である。つまり、Ａ～Ｃの３人のうち、２人の帽子が白であれば、残った帽子はすべて赤ということになる。ただし、Ｃは最初に自分の帽子の色に気づいていないので、Ａ、Ｂ２人の帽子の色が白ということはありえない。したがって、ありうる場合は次の２とおりである。

```
A  B  C  D
白  赤  白  赤
赤  白  白  赤
```

[５２]　正答１

　　問題文の３行目から６行目にかけての条件を、次のようにア、イ、ウの３つの部分に分けて考えることにする。

　　ア「そこで初めにＡとＢが持っているカードを見せ合ったが、２人ともほかの３人のカードの色はわからなかった。」

　　イ「次にＣとＤが見せ合ったが、同様にわからなかった。」

　　ウ「さらに、ＢとＣが見せ合ったら、２人ともほかの３人の色が同時にわかった。」

　　まず、アの部分でＡとＢのカードについて、ありうることを考えると次の３とおりである。（Ａ、Ｂは２人とも黒というのはありえない。）

```
A  B    A  B    A  B
赤  赤    赤  黒    黒  赤
```

　　次にイの部分で、ＣとＤのカードについて、ありうることを考えるとアの場合と同様であるから、次の３とおりである。

```
     C  D    C  D    C  D
     赤  赤   赤  黒   黒  赤
```
また、ウの部分の条件だけを考慮し、各人の色を検討する。まず、Bを中心に考えてみると、Bはウの段階で、A、B、C3人のカードの色を見ている。ここで、Bは全員のカードの色がわかったから、A、B、Cの色は3人とも赤か、3人のうち2人が黒であることがわかる。したがって、各人のカードの色は次の①～④のいずれかである。

```
      A  B  C  D  E
①赤  赤  赤  黒  黒
②黒  黒  赤  赤  赤
③黒  赤  黒  赤  赤
④赤  黒  黒  赤  赤
```

アの条件から、A、Bが共に黒というのはありえないから、②は正しくない。

さらに、ウの条件で、Cも全員の色がわかっていることを考えてみる。ウの段階で、CはB、C、D3人のカードの色を見ているので、B、C、Dの色は、3人とも赤か、3人のうち2人が黒でなければならない。これに該当するのは④しかない。

［53］ 正答5

上から順に3枚のカードの表の色を見せたところまでを考えてみる。ありうるのは次の4通りである。

```
      1枚目  2枚目  3枚目  4枚目  5枚目
①    青    青    青    赤    赤
②    赤    赤    青    青    青
③    赤    青    赤    青    青
④    青    赤    赤    青    青
```

次に、上の4通りのうち、1、3、5枚目の色を見て、残りの2、4枚目の色がわかる場合を考えてみると、③の場合だけが、1、3、5枚目の中に赤が2枚とも含まれているので、残りは必ず青だとわかる。

I－6 順位・順序（1）

［54］ 正答2

1枚目 A、B、C、D、E
2枚目 A○C or C○A   …①
　　　 B○○D or D○○B…②

②より考えられる並びは、次のとおりである。

```
I    ○B○○D
II   B○○D○
III  ○D○○B
IV   D○○B○
```

このうち、IはBが1枚目と同じ、IIはDが1枚目と同じだから、条件に反する。

III、IVに①を入れると次のとおり。

- 22 -

Ⅲ－1　ADCEB……A、Cが1枚目と同じ×
Ⅲ－2　CDAEB
Ⅳ－1　DEABC
Ⅳ－2　DECBA……Cが1枚目と同じ×
　したがって、考えられるのは、Ⅲ－2と、Ⅳ－1の2とおりである。

[55]　正答3
　a、d、eの条件を図示すると次のとおり。
　a　EF
　d　D〇〇〇F　or　F〇〇〇D
　e　BD
　この3つの条件を組み合わせると次の2つの順序のどちらかである。
　　BD〇〇EF　　　EF〇〇BD
　いずれも6日分の並びしかないので、あと1日加えて順序を考えると、次の4通りがありうる。
　　　日　月　火　水　木　金　土
①　〇　B　D　〇　〇　E　F
②　B　D　〇　〇　E　F　〇
③　〇　E　F　〇　〇　B　D
④　E　F　〇　〇　B　D　〇

　bより、「Fは金曜日でない」から、②は条件に反する。
　①、③、④について、bの「Gは日曜日でなく」と、cの「CはAとGの間にある。」の2つを考慮して、順序を検討すると、次のようになる。
　　　日　月　火　水　木　金　土
①　A　B　D　C　G　E　F
③　A　E　F　C　G　B　D
④　{ E　F　A　C　B　D　G
　　 E　F　G　C　B　D　A

　いずれも水曜日はCである。

[56]　正答3
　　　　　　　上←　　→下
Bより……〇〇〇B〇〇
　　　　　　男2、女1
Cより……〇〇CB〇〇
　　　　　　男男女
Dより……〇〇CBD〇
　　　　　　男男女　　女
Eより……〇ECBD〇
　　　　　　男男女　　女

Aの発言から、Aより、年上の女性が2人いるから、1番上がF、1番下がAで、BかDのいずれかが女性でなければならない。

FECBDA
男男女　　女
　　　｛男、女｝

[57]　正答3
条件より
C、D＞A
C＞B＞D　｝　C＞B＞D＞A
C＞E　　　　C＞E
以上より、Cは他の4人よりも背が高いことがわかる。

[58]　正答5
条件を不等号を使って表すと次のようになる。
A＜D
E、F＜C　｝　A＜D
B＜F　　　B＜E、F＜C
B＜E
上の関係に各選択肢の条件を入れてみて考えるとよい。
1　DとCではどちらが高いか不明。
2　DとCではどちらが高いか不明。
3　最高、最低ともに不明。
4　AとBではどちらが低いか不明。
5　B＜E、F＜C＝A＜D　となり、最高がD、最低がBとわかる。

[59]　正答4
　　　　　　先←　　　　　→後
Aより‥‥‥‥A＞B、C、E‥‥‥‥①
Bより‥‥‥‥B＞E‥‥‥‥‥‥‥‥②
Cより‥‥‥‥B＞C‥‥‥‥‥‥‥‥③
Dより‥‥‥‥C＞D‥‥‥‥‥‥‥‥④
①、②より　　A＞B＞E‥‥‥‥‥‥⑤
①、③、④よりA＞B＞C＞D‥⑥
　各選択肢を⑤、⑥に入れて考えると、選択肢4のときに、A＞B＞E＞C＞D　となり、順位がわかる。

[60] 正答4

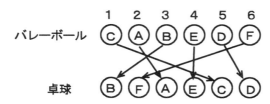

以下の順でわかる。
②より、Bのバレーボールは3位。
④より、Dのバレーボールは5位。
③より、Cはバレーボール1位、卓球5位。
①より、Aはバレーボール2位、卓球3位。
⑤より、Eは両方とも4位。
残った順位がFだから、バレーボール6位、卓球2位。

[61] 正答5

順位の変化を図で順に追ってみるとよい。

```
  1 2 3 4 5        ◯・・・赤
 Ⓒ E Ⓐ B Ⓓ
 E Ⓒ Ⓐ B Ⓓ ・・・EがCを追い越した。
 E Ⓒ B Ⓐ Ⓓ ・・・黒の車が赤の車を1台追い越した。
 E B Ⓒ Ⓐ Ⓓ ・・・黒の車が赤の車を1台追い越した。
 E B Ⓓ Ⓒ Ⓐ ・・・赤の車が赤の車を2台追い越した。
 Ⓓ E B Ⓒ Ⓐ ・・・赤の車が黒の車を2台追い越した。
```

[62] 正答2

条件に次のようにア～オの記号をつける。
ア　Aはゴールにおいては中間地点よりも順位が一つ上がったものの、Dよりも順位が下だった。
イ　BはゴールにおいてはEよりも順位が下だった。
ウ　Cは中間地点では2位だったが、ゴールでは3位となった。
エ　Dは中間地点では4位だった。
オ　Eはゴールにおいて中間地点よりも順位が上がったものの、Dよりも順位が下だった。

　ウ、エより、図①がわかる。

```
①          1   2   3   4   5
中間地点    ○   C   ○   D   ○
ゴール      ○   ○   C   ○   ○
```

　ア、イ、オより、ゴールでの順番はD＞E＞B、D＞Aであることがわかる。
　Cはゴールでは3位だから、ゴールでの1位はDであることがわかる。
　また、ア、イより、ゴールでAとEは最下位ではないことがわかる。したがって、ゴールでの最下位はBである。ここまでで、図②のようになる。

```
②          1   2   3   4   5
中間地点    ○   C   ○   D   ○
ゴール      D   ○   C   ○   B
```

　ア、オより、A、Eはゴールにおいて中間地点よりも順位が上がっているから、A、Eの順位は次のいずれかである。
　中間地点3位→ゴール2位、中間地点5位→ゴール4位
　以上より、中間地点の順位で残っているのは、1位だけになるから、それがBの順位になる。

[63] 正答1

確実にいえる条件から考えていく。
・Cは1位だったから、Cの「3人に追い越された。」
　より、Cは4位になった。
・Dの「1人追い越したが、1人に追い越された。」
　より、Dは順位が変化していないことがわかる。
　よって、Dは2位になった。
・Aは「だれも追い越さなかった。」から、4位にな
　ったCも追い越していないことになる。よって、
　Aは5位。
・Eは「2人追い越した。」が、Cが4位、Aが5位だから、この2人を追い越したことがわかる。
　よって、Eは3位。
・残ったBは1位になった。

```
                 1    2    3    4    5
第9フレーム    （C）（D）（A）（E）（B）

第10フレーム   （B）（D）（E）（C）（A）
```

Ⅰ-7　家族関係

[64]　正答1
　Bの発言より図①ができる。
　Cの発言より図②ができる。
　D、Eの発言より図③ができる。

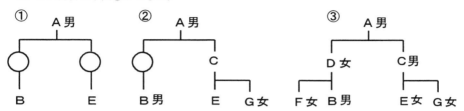

[65]　正答1
　アより、図①ができる。
　イ、ウ、エより、図②ができる。
　Fの従弟はBかCだから、オより図③ができる。（HはBの子供か、Cの子供かははっきりしない）

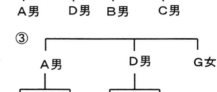

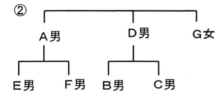

[66]　正答2
　ウより祖母はEとなり、イより図①ができる。（Dはどちらのおじかはっきりしない）

図①

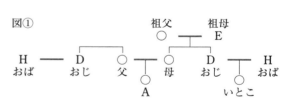

ここでエより、Fは祖父であることが
わかり、娘は母となる。またCとGは
兄弟であるから、②のようにC、GとD、
Hが確定する。

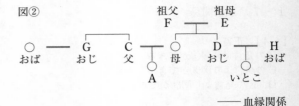

図②

血縁関係
──── 婚姻関係

　アよりBは、Iの義理の妹で、エより、
GがCの弟であるから、図③ができあ
がる。

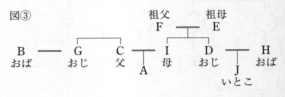

図③

血縁関係
──── 婚姻関係

Ⅰ－8　順位・順序（2）

[67]　正答2

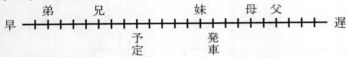

　数直線を使うとよい。基準を発車予定時刻と発車時刻にし、最初に数直線に書き入れる。あとは
次の順序で条件を書き入れていくと、上の数直線が完成する。
①母は発車時刻に3分遅れた。
②妹は発車予定時刻に5分遅れた。
③妹は父より6分早い。
④兄は父より14分早い。
⑤兄は弟より4分遅い。

[68]　正答5

　まず基準として、集合時刻を数直線に
書き入れる。あとは次の順序で、条件を
書き入れていく。
①Bは集合時刻より3分早い。
②DはBより7分遅い。
③Dは発車時刻より1分早い。
④CはDより5分早い。
⑤Eは集合時刻より2分遅い。
⑥EはAより早い。（Aの到着時刻は決まらないので、図のように矢印で表すとよい）

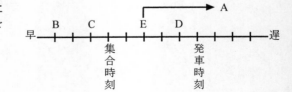

[69]　正答3
　まず、A〜Dの時計の指している時刻を数直線に書き入れる。そして正しい時刻をいろいろ仮定して条件に合うものを探せばよい。正しい時刻を9:59に仮定すると、Bと1分差、Aと2分差、Dと3分差、Cと4分差になる。

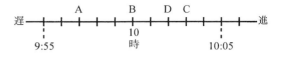

[70]　正答2
　条件より、次のことがいえる。
　①　B = 176cm　②= 174cm
　　　C = 167cm
　　　A = 171cm　or　163cm
　　　D = 172cm　or　162cm
　　　E = 174cm　or　160cm
2番目に高い人は174cmであるが、その可能性があるのはEしかいないので、Eは174cm。
また、平均身長が170cmであることから、次の式が成り立つ。
　　　A + B + C + D + E = 170 × 5
B、C、Eにそれぞれの身長を代入する。
　　　A + 176 + 167 + D + 174 = 850
　　　　　　　A + D = 850 − 517 = 333
AとDの身長を足して、333cmになる組合せは、A = 171cm、D = 162cmのときだけである。
以上より、A = 171cm、B = 176cm、C = 167cm、D = 162cm、E = 174cm。

[71]　正答3
　条件からいえることをまとめると次のようになる。
　①　C = 47件　　②= 42件
　　　D = 35件
　　　A = 39件　or　31件
　　　B = 42件　or　28件
　　　E = 43件　or　27件
2番目に多いのは42件であるが、Bしか可能性がないので、Bは42件。
2番目に多いのが42件だから、Eの43件というのはありえないので、Eは27件。
全調査件数は190件だから、
　　　A + B + C + D + E = 190
となる。これにA以外の人の件数を代入する。
　　　A + 42 + 47 + 35 + 27 = 190
　　　　　　　A = 190 − 151 = 39（件）
以上より、A = 39件、B = 42件、C = 47件、D = 35件、E = 27件

[72] 正答3

　条件よりいえることをまとめると次のとおり。
　C ＞ A ＞ B
　D ＝ 25 歳
　E ＝ 30 歳
　B ＝ 38 歳　or　22 歳
　F ＝ 35 歳　or　25 歳
　A ＝ 33 歳　or　23 歳
　Bが38歳であるとすると、Aより年上になってしまい、条件に反する。ゆえに、Bは22歳。そうすると、Fが35歳か25歳かにかかわらず、FはBの年上ということがいえる。

[73] 正答1

　Aを基準にして、各玉の差を樹形図で示していく。その際、左右に枝を伸ばすのがこつである。

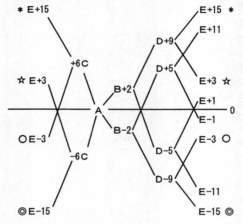

E	C	A	B	D
+15	+6	0	+2	+9
+3	-6	0	+2	+9
-3	+6	0	-2	-9
-15	-6	0	-2	-9

　左右にEが出てくるが、Eは同じものなので数字が一致しているものが条件にあっている。その組合せを枝を追って調べたものをまとめると左表のようになる。
　いずれの場合も、AとDの差は9gである。

[74] 正答4

①

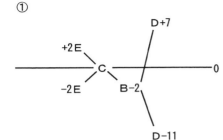

樹形図をつくるとよい。この場合左右に枝を伸ばすのがこつである。

Cを基準にして、他の4人がそれぞれCに対して、年齢差があるかを記していく。

○BはCより二つ下である。

○BとDは九つ違いである。

○EとCは二つ違いである。

以上より図①ができる。

○DはAより二つ上である。

○AとEは三つ違いである。

以上より図②ができる。

左右にAが出てきているが、Aは同一人物であるから、値が一致しなくてはならない。したがって、A：＋5である。

A：＋5に対して枝が伸びているものを順に挙げていくと、各人の年齢は決まる。（図②）

A：＋5、E：＋2、C：0、B：－2、D：＋7である。

②

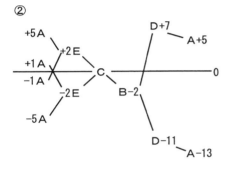

[75] 正答2

①

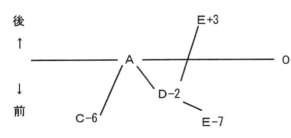

Aを基準にして、他の4人がいつ仕事を終えたかを、樹形図を利用して調べる。Aの左右両側に枝を伸ばすとよい。

・CはAより6日前に終えた。

・DはAより2日前に終えた。

・Dが終えた日とEが終えた日は5日違いだった。

以上より図①ができる。

②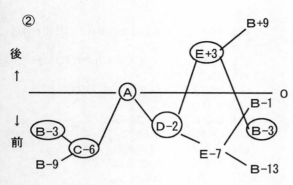

・Bが終えた日とCが終えた日は3日違
　いだった。
・Bが終えた日とEが終えた日は6日違
　いだった。
　以上より図②ができる。
　左右の端にBがでてきているが、Bは
同一人物なので、数値が一致していなけ
ればならない。よって、Bは－3。これ
はEの＋3から枝が伸びているので、E
は＋3。Cは－6、Dは－2である。
　よって、C、B、D、A、Eの順である。

[76]　正答3
　次のような表をつくり、考えていくとよい。

	到着時の時計の時刻	時計のズレ	実際の到着時刻
A	8：58	3分進み	8：55
B	9：03	1分進み	9：02
C	9：04	6分進み	8：58

　解答の手順は次のとおりである。
・Aの実際の到着時刻は8：55
・AはCよりも3分早く着いたから、Cの実際の到着時刻は、8：58
・Aの到着時の時計は8：58→Aの時計のズレは3分進み
・Cの到着時の時計は9：04→Cの時計のズレは6分進み
・Bの到着時の時計は9：03
・Cの時計はBの時計より5分進んでいたから、Bの時計のズレは、6分－5分＝1分で、1分進み→
　Bの実際の到着　時刻は9：02

[77]　正答3

	到着時の時計の時刻	時計のズレ	実際の到着時刻
A	9：58	3分進み	9：55
B	10：03	2分進み	10：01
C	10：05	2分遅れ	10：07

左のような表をつくり、考えていくとよい。
　解答の手順は次に示すとおり。
・Aの実際の到着時刻は9：55
・Aの到着時の時計の時刻は9：58
　→Aの時計のズレは3分進み

・AはBより6分早く到着→Bの実際の到着時刻は10：01
・Bの到着時の時計の時刻は10：03→Bの時計のズレは2分進み
・Cの到着時の時計の時刻は10：05
・Bの時計はCの時計より4分進んでいたから、Cの時計のズレは、＋2－4＝－2で、2分遅れ→C
　の実際の到着時刻は10：07

- 32 -

[78] 正答2

①

	自分の時計	実際の時刻	時計のずれ
A	17：55 （C18:00）		
B	17：50 （C17:58）	17：55	5分遅れ
C	18：05		

②

	自分の時計	実際の時刻	時計のずれ
A	17：55 （C18:00）	17：58	3分遅れ
B	17：50 （C17:58）	17：55	5分遅れ
C	18：05	18：03	2分進み

各自の到着時刻について、条件よりわかることを表①にまとめる。Bの時計は5分遅れであることがわかる。

Bの時計で、Cは17:58に到着しているが、Bの時計は5分遅れであるから、実際にはCは18:03に到着した。よって、Cの時計は2分進んでいる。

また、Aの時計でCは18:00に到着しているから、Aの時計は3分遅れである。したがって、Aの到着時刻は、17:58である。

以上より、表②ができる。

[79] 正答2

掛時計と腕時計で同じ時刻のものを横線で結ぶと下図のようになる。

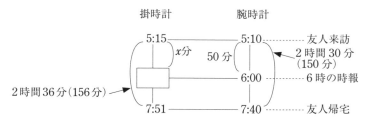

友人来訪から友人帰宅までの時間は、掛時計で2時間36分（156分）、腕時計で2時間30分（150分）であるから、二つの時計は進むペースが明らかに異なる。進むペースの比は、

掛時計：腕時計 =156:150=26:25

友人来訪から午後6時の時報までの時間は、掛時計でx分とおくと、腕時計では50分だから、次の比がなりたつ。

x:50=26:25

これを解いて、$x = \dfrac{50 \times 26}{25} = 52$（分）

友人来訪時の掛時計の時刻5時15分に52分を足しあわせると、6時7分となる。

[80]　正答4

　会議が終わったときの会社の時計の時刻を割り出してみる。

　会議の予定時間は2時間だから、

「予定の時間の2割」 = 120（分）× 0.2 = 24（分）

　したがって、会議終了時の会社の時計の時刻は11:36である。

　これをもとに条件を加えて、3種類の時計で同じ時刻のものを横線で結ぶと図①のようになる

①

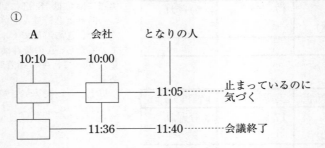

　会社の時計は、となりの人の時計より4分遅れているから、Aが止まっているのに気づいたとき、会社の時計は11:01を指していた。また、Aの時計は会社の時計より10分進んでいるから、Aが止まっているのに気づいたときAの時計が動いていたとすると11:11を指していたことになる。以上をまとめると図②のようになる。

②

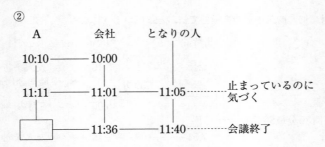

Ⅰ－9　比較

[81]　正答3

①

	男	女	計
教務		4	
生徒		2	
総務		7	
計	14	13	27

②

	男	女	計
教務	6	4	10
生徒	7	2	9
総務	1	7	8
計	14	13	27

　　　課員 27 人の内訳について考える。このパターンでは、各課で最低何人の課員がいるかを考えるとよい。
　　条件より、女性職員の数は表①のとおり。
　　「男性の課員のいない課はない。」から、総務課の男性も最低 1 人はいる。よって、総務課の合計は最低 8 人になる。そうすると、課員数の順から考えて、生徒課は 9 人（男性 7 人）、教務課は 10 人（男性 6 人）、それぞれ最低いることがわかる。これをまとめると、表②のようになるが、よく見ると、合計の人数とすでに合っていることがわかる。
　　したがって、表②の人数で確定するのである。

[82]　正答1

Ⅰ

	20 歳以上である		20 歳未満である		計
男性	①	②	③	④	5
女性	⑤	⑥	1	⑧	5
	兄がいない	兄がいる		兄がいない	
合計	3	2	2	3	
	5		5		10

　表Ⅰのように合計欄もつくって、考えてみる。
　まず全体の合計は 10 人で、男性 5 人、女性 5 人である。また、アの条件より、20 歳以上が 5 人だから、20 歳未満も 5 人になる。
　イより、②、⑥の合計が 2 人、ウより④、⑧の合計が 3 人であるから、①、⑤の合計は 3 人、③、⑦の合計は 2 人とわかる。カより、⑦は 1 人である。
　以上より、表Ⅰができる。
　オより、⑤、⑥の合計が 2 人で、⑦が 1 人だから、⑧は 2 人である。
　④、⑧の合計は 3 人であるから、④は 1 人である。
　エより、②、③の合計は 2 人だから、①は 2 人である。
　①、⑤の合計は 3 人だから、⑤は 1 人である。
　オより、⑤、⑥の合計は 2 人だから、⑥は 1 人である。
　②、⑥の合計は 2 人だから、②は 1 人である。
　エより、②、③の合計は 2 人だから③は 1 人である。
　以上より表Ⅱができる。

Ⅱ

	20 歳以上である		20 歳未満である		計
男性	2	1	1	1	5
女性	1	1	1	2	5
	兄がいない	兄 が い る	兄がいない		
合計	3	2	2	3	
	5		5		10

[8 3]　正答 1

①

	ス	音	読	計
15	読+2	0		≦ 5
16	3 ≦	2	0	5 ≦
17	0			5
計				15

同数（音・読）

表をつくり考える。
・全体の人数は 15 人。
・17 歳は 5 人、17 歳のスは 0 人。
・16 歳の音は 2 人、スは 3 人以上、読は 0 人。
　→ 16 歳の合計は 5 人以上。
・15 歳の音は 0 人、スは読 +2。
・16 歳と 17 歳の合計は 10 人以上だから、15 歳の合計は 5 人以下。

・音と読は同数。
　以上より、表①ができる。
　ここで、15 歳について考えてみると、
Ⅰ　読が 0 のとき、スは 2……合計 2 人
Ⅱ　読が 1 のとき、スは 3……合計 4 人
の 2 とおりしかないことがわかる。
　Ⅰの場合を表②に、Ⅱの場合を表③に書いてみる。すると、Ⅰの場合（表②）は音と読が同数にならないことがわかり、条件に反する。よって、正しいのは、Ⅱの場合（表③）である。

②

	ス	音	読	計
15	2	0	0	2
16	6	2	0	8
17	0			5
計	8			15

同数

③

	ス	音	読	計
15	3	0	1	4
16	4	2	0	6
17	0	2	3	5
計	7	4	4	15

同数

[84]　正答5

　「AとBは、ともにCの3倍以上食べた。」とあるが、仮にCが2個以上食べたとすると、A、Bは6個以上食べたことになりおかしい。したがって、Cが食べたのは1個で、A、Bはともに3個以上食べた。

　1人だけが全部食べているが、それはAかBのどちらかであるので、場合分けしてみると次のようになる。

①Aが全部食べた場合

	食べた個数	残した個数
A	5	0
B	3	1
C	1	2

②Bが全部食べた場合

	食べた個数	残した個数
A	4	1
B	4	0
C	1	2

　(「1人が食べ残した個数は、もう1人が食べ残した個数の2倍であった。」と、A、Bはともに3個以上食べたことに注意)

[85]　正答1

　条件より白いカードの枚数の比較を記号で表すと次のとおり。

ア　C > E
イ　B = E
ウ　D > A
エ　B > A

$\left.\begin{array}{l} \end{array}\right\}$ C > E = B > A
　　　　　　　　　D > A

　上の関係をもとに、白いカードの枚数として考えられるものを順序よく場合分けすると次のようになる。

C	>	E = B	> A <	D
5	1	1	0	5
3	2	2	0	5
4	2	2	0	4
5	2	2	0	3
4	3	3	0	2
5	3	3	0	1
3	2	2	1	4
4	2	2	1	3
5	2	2	1	2

[86]　正答1

　ありうる場合を順序よく考え、まとめると次の表のようになる。

A	>	B	>	C	=	D	>	E	=	F	>	G	>	H
10		9		5		5		3		3		2		1
10		7		6		6		3		3		2		1
10		7		5		5		4		4		2		1
10		6		5		5		4		4		3		1

合計38個
A = 10個、H = 1個
B ~ G の計27個

[87]　正答2

　問題文のままでは考えにくい。そこでまず、「イヤリング10組がそろわないようにして、最高何個までイヤリングを取り出せるか」と問題を変えて考えてみる。

　そうすると、イヤリング9組まではそろってもかまわないから、その9組（18個）をそろえて袋の外に出しておくとする。（金、銀、プラチナとりまぜて）

　あとは、1組もそろってはいけないことになる。それで、まず、金を1個取り出す。次は、金以外なら取り出してもよいから、銀1個を取り出す。すると、金、銀はもう取り出せないから、プラチナを1個取り出す。となると、次は何を取り出しても、10組目がそろってしまうので、これ以上は取り出せないことがわかる。

　したがって、変えて考えた問題の答えは、

9（組）× 2 + 3 = 21（個）　である。

　あと1個でも取り出せば、必ず10組そろうわけだから、元の題意どおりにするためには、1個加えればよい。

21 + 1 = 22（個）

Ⅰ-10　手順

[88]　正答2

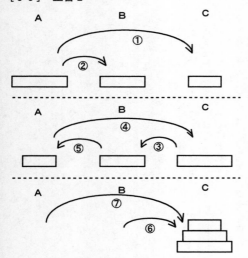

　左図のような手順で移す。

　なお、これは「ハノイの塔」という有名なパズルである。円盤の数を n 枚としたとき、移動の回数は、

　$2^n - 1$　になる。

[89] 正答2

6袋の薬包みを2袋ずつの3グループに分けて、天秤にかけていく。次図のように、A、B、Cの3グループに分けたときに、目指す袋が偶然にCグループに入っていたとする。また、それは他の袋より、実は重いとする。（もちろん重いか軽いかは最初にわかっていない。）

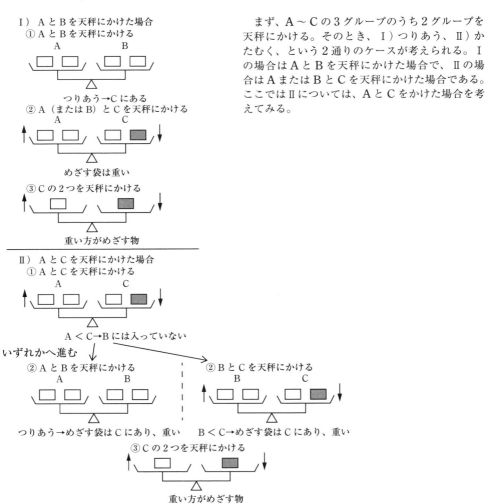

I）AとBを天秤にかけた場合
　①AとBを天秤にかける

　　つりあう→Cにある
　②A（またはB）とCを天秤にかける

　　めざす袋は重い
　③Cの2つを天秤にかける

　　重い方がめざす物

まず、A〜Cの3グループのうち2グループを天秤にかける。そのとき、I）つりあう、II）かたむく、という2通りのケースが考えられる。Iの場合はAとBを天秤にかけた場合で、IIの場合はAまたはBとCを天秤にかけた場合である。ここではIIについては、AとCをかけた場合を考えてみる。

II）AとCを天秤にかけた場合
　①AとCを天秤にかける

　　A＜C→Bには入っていない

いずれかへ進む

　②AとBを天秤にかける

　　つりあう→めざす袋はCにあり、重い

　②BとCを天秤にかける

　　B＜C→めざす袋はCにあり、重い

　③Cの2つを天秤にかける

　　重い方がめざす物

いずれの場合も3回でわかる。

[90]　正答3
　8個の鉄玉をA～Hとし、その重さが、A＞B＞…＞Hであると仮定し、考えてみる。
　まず、最も重いものを選ぶためには、「トーナメント」方式で重さを比べるのが最も速い。
　図①のような組合せで調べたとすると、一番重いAを選び出すまでに7回かかる。
　次に、2番目に重い可能性があるものを考えると、1番重かったAと直接比べて軽いとされたものに限られるから、B、C、Eがそれにあたることがわかる。
　あとは、B、C、Eによるトーナメントで一番重かったものが2番目に重いものになる。（図②）
　ここで2回かかっているから、合計7＋2＝9回である。

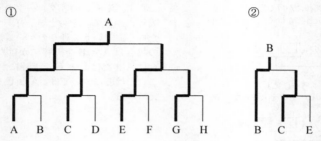

① 　　　　　　　　　　　　　　　　　　　　　　②

[91]　正答1
　最初に男1人で渡っても、またその人が懐中電灯を持って帰ってこなければならない。したがって、最初は女2人で渡って、そのうち1人が懐中電灯を持ち帰るとよいことに気づけば解ける。
　橋の渡り方を図で表すと次のようになる。

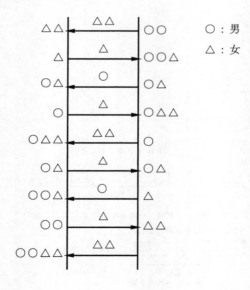

○：男

△：女

－ 40 －

[92]　正答2
次のような手順で牛乳を入れていくとよい。

A 1100cc	B 700cc	C 400cc	D 100cc
1100	0	0	100
400	700	0	100
0	700	400	100
700	0	400	100
800	0	400	0
800	400	0	0
400	400	400	0

[93]　正答2
　最後に6個残ってBの順番になれば、Bが何個取ろうとAの勝ちになる。例えば、6個残っていてBの順番になり、Bが1個取れば、Aは次に5個取れば勝ちだし、Bが2個取れば、Aは4個取れば勝ちである。このような場合はBが1～5個のうちどれを取ってもAが残りを取れば勝ちになる。
　と、すると、Bが取るときに必ず6の倍数になるようにおはじきを残せばAの勝ちになるのである。したがって、Aははじめに2個取り、残りを6×8＝48個というように6の倍数にしてBの順番にすればよい。そして、Bと合わせて6個になるようにAは取っていけばよい。

例)
①　A2取る　　残り48
②　B1取る　　A5取る　　残り42
③　B4取る　　A2取る　　残り36
④　B2取る　　A4取る　　残り30
⑤　B5取る　　A1取る　　残り24
⑥　B3取る　　A3取る　　残り18
⑦　B2取る　　A4取る　　残り12
⑧　B1取る　　A5取る　　残り6
⑨　B4取る　　A2取る　　残り0→Aの勝ち

　ダイヤグラムを用いるとよい。ダイヤグラムは縦軸に駅、横軸に時間の変化を取ったものである。

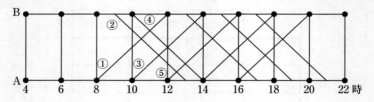

条件通りに作業をしてみるとよい。

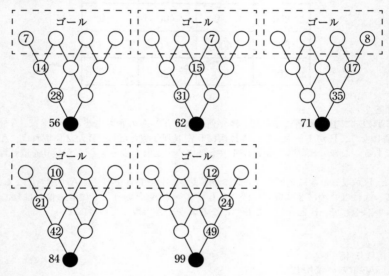

　選択肢の中で、同じ○にたどり着くのは、4の「62、99」ペアである。

　条件通りに図を書いていくとよいが、線まで書く必要はなく、数字だけでいいだろう。右のようになる。したがって、3回作業を繰り返したことになる。

1	1	1	1
2	5	3	2
3	2	5	3
4 →	6 →	7 →	4
5	3	2	5
6	7	4	6
7	4	6	7
8	8	8	8

I−11　曜日に関する問題

[97]　正答2
　昭和47年10月12日から昭和61年10月12日まで、ちょうど14年間であるが、このあいだに
うるう年の2月29日が何回入っているかを考えてみると、昭和51年、55年、59年の3回である。
　したがって、昭和47年10月12日が、昭和61年10月12日の何日前かを考えると、
365（日）× 14（年）+ 3（日）= 5113（日）　という計算で、5113日前とわかる。
　5113 ÷ 7 = 730…3であるから、昭和47年10月12日は、昭和61年10月12日（日）の730週
と3日前なので、曜日は日曜日の3日前で、木曜日となる。

[98]　正答5
　各選択肢で、前の日付に対して、後の日付が何日後であるかを調べ、それが7の倍数であれば、
同じ曜日である。
1　4／30……5／31　6／30　7／31
　　　　　　　　31日後　61日後　92日後　92 ÷ 7 = 13…1 ×
2　5／31……6／30　7／31　8／31
　　　　　　　　30日後　61日後　92日後×
3　6／30……7／31　8／31　9／30
　　　　　　　　31日後　62日後　92日後×
4　7／31……8／31　9／30　10／31
　　　　　　　　31日後　61日後　92日後×
5　8／31……9／30　10／31　11／30
　　　　　　　　30日後　61日後　91日後　91 ÷ 7 = 13…0 ○

[99]　正答1
　各選択肢の1月1日が、1996年の1月1日の何日後であるかを調べ、それが7で割り切れるも
のを選べばよい。
1　2001年は1996年の5年後で、2000年がうるう年で2月29日があるから、
　　365（日）× 5（年）+ 2（日）= 1827（日）
　　1827 ÷ 7 = 261…0
　　割り切れるから、月曜日。
2　365（日）× 6（年）+ 2（日）= 2192（日）
　　2192 ÷ 7 = 313…1
　7で割り切れないから、月曜日ではない。
　他の選択肢も同様に調べてみるとよいが、月曜日にはならない。

［100］　正答4

A：○×○×○×○……2日ごと
B：○××○××○……3日ごと
C：○×××○××……4日ごと
D：○××××○×……5日ごと

　A～Dのクラブへの来方は、上のようである。したがって、ある日4人が一緒になって次に一緒になるのは、2、3、4、5の最小公倍数の日数後である。

$$2) \underline{2\quad 3\quad 4\quad 5}$$
$$\;1\quad 3\quad 2\quad 5 \qquad 2 \times 3 \times 2 \times 5 = 60 \text{日後} \quad \text{である。}$$

　$60 \div 7 = 8 \cdots 4$　だから、日曜日の4日後で木曜日である。

［101］　正答5

　月曜日は7日ごとにやってくるから、次に3社の搬入日が月曜日で重なるのは、6、4、9、7の最小公倍数の252日後になる。

4／1（月）

4／30……29日後　　　　　　9／30……182日後
5／31……60日後　　　　　10／31……213日後
6／30……90日後　　　　　11／30……243日後
7／31……121日後　　　　　12／9 ……252日後
8／31……152日後

［102］　正答4

日	月	火	水	木	金	土
	○		○		○	
	○		○		○	
	○		○		○	
	○		○	4	5	6
7						

　月曜日から、条件どおりに11日間とってみると表の○のようになる。
　最終日が8月3日だから、次の日曜日は8月7日である。

[103] 正答4

　初日が日曜日で、末日が土曜日というのは表のとおりで、末日が28日しかありえないので、2月ということになる。

　3月の初日はまた日曜日になるから、3月31日は火曜日になる。したがって、4月の初日は水曜日。

日	月	火	水	木	金	土
1	2	3	4	5	6	7
8	·	·	·			
15						
22	23	24	25	26	27	28
29	30	31				

[104] 正答2

　10日の曜日によって、変わってくる。したがって、10日が日〜土までの7とおりを下に示す。

日	月	火	水	木	金	土
10	11	12	13	14A	15B	16
	10	11	12	13A	14	15B
		10	11	12A	13	14
			10	11A	12	13
				10	11	12
					10	11
						10
日	月	火	水	木	金	土
17	18	19C	20	21	22	23
16	17	18C	19	20	21	22
15B	16	17C	18	19	20	21
14	15B	16C	17	18	19	20
13	14	15B C	16	17A	18	19
12	13	14C	15B	16A	17	18
11	12	13C	14	15A B	16	17

[105]　正答3

　「Aの隣はB」という条件で2つに場合分けされる。それに「Bと反対側へ1人おいた隣にはC」を加えると、次の図①、②ができる。

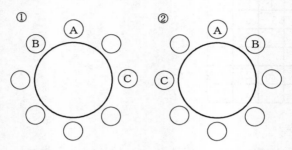

　ここで「GとHは向かい合っている」を考えると、図①、②共に向かい合って空いている席は1組しかないので、次の図①′、②′のように決まる。（GとHは入れ替わっても可）

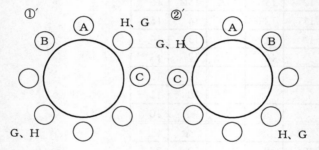

　これらに「Dの隣はE、Eと反対側へ1人おいた隣はF」を入れると、次の図①″、②″のようになる。

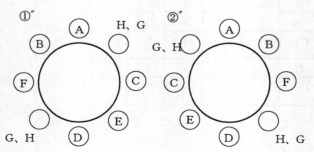

「Aの1人おいて左隣にはE」、「（Eの）真向かいにはCがおり」の順に席を決め、「Eの隣にはG」
で、2とおりに場合分けしたものを次の図①、②に示す。

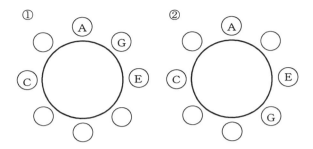

「Fの真向かいはB」が入るような、向かい合わせで空いている席は、いずれも1組しかないので、
次の図①′、②′のようになる。（B、Fは入れ替わってもよい）

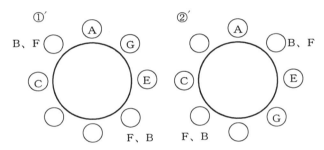

「Dの隣にはC」という条件より、次の図①″、②″ができる。

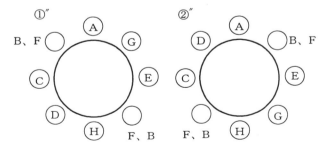

[107]　正答5
「Aの正面はアメリカ人である。」より、図①ができる。
「Bの左隣はイギリス人である。」より、図②ができる。

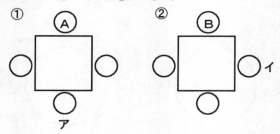

以上の2つの条件より、図③のように2つの場合が考えられる。

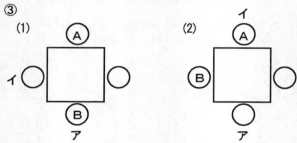

図③の2つの場合それぞれに、「Cの右隣はドイツ人である。」という条件を加えて考えると、図④のように決まる。

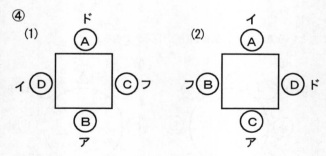

[108]　正答2
イ、ウより、

F	G	H

H	G	F

の2とおり考えられる。

		B

B		

オより、Gが2号室であることから、次の図①、②が考えられる。

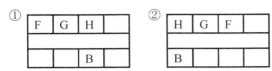

エより、Gのななめ向かいの部屋がDであるから、Dの部屋は、①では5号室、②では7号室とわかる。
アより、AとEの部屋は向かい合っているが、向かい合って空いているのは、4号室、8号室しかないから、ここにA、Eが入る。(A、Eは入れ替わってもよい)
したがって、空いている6号室はCである。以上より、図①′、②′ができる。

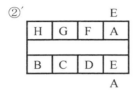

[109] 正答4

左のように部屋番号をつける。

「Aの室のすぐ下の室にはE」……

「Dの室には東側に窓がある」……Dは3か6
　以上より、A、Eは、(4, 1)か(5, 2)のいずれかとわかる。
　また、「Fの室はDの室と同じ階」だから、次の4とおりが考えられる。

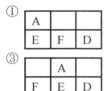

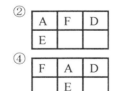

　「Bの室とCの室は隣り合っていない」という条件があるので、これらのうち①、②はありえない。
したがって、正しいのは③、④で、B、Cはどちらに入るかはわからない。

[110]　正答3
　3人のうち2人の希望がかなえられる場合、3とおりの組合せがある。Ⅰ）A、B　Ⅱ）A、C　Ⅲ）B、C　というように、場合分けして、Aの場所として、可能性があるものを考える。
Ⅰ）A、Bがかなえられたとき

　　Aの場所…ア

Ⅱ）A、Cがかなえられたとき

　　　　　CがBより上であれば、BCの位置関係はよい。

Aの場所…ア、イ

Ⅲ）B、Cがかなえられたとき

　　　CはBより上の段であればどこでもよい。

Aの場所…ウ、オ

[111]　正答5
　向いている方向を矢印で示しながら図示していくとよい。
Aの発言　　　　　　　　Eの発言
　　B↑C　　　　　　　　　　↑↑C
　　　A　　　　　　　　　BEA
　　E　D　　　　　　　　　　D

Cの発言　　　　　　　Fの発言
　　↑↑ D　　　　　　　　↑↑ ↑
　BEAC　　　　　　　BEACFD
　　↓F　　　　　　　　↓

Gの発言
　　↑↑　　↑
　BEAGCFD
　　　↓↓

[112]　正答1
　向いている方向を矢印で示しながら図示していくとよい。
Aの発言　　　↑　　　　　Cの発言　↑　　↑
　　　　　　E　A　　　　　　　　C　E　A

Bの発言　←↑　↑　　　　Eの発言　←↑→↑
　　　　　B C E A　　　　　　　　B C E A D
　（EがB、Cの方向を向いているとすると、EとBが同じ方向を向いていることになる。）

Dの発言　←↑→↑↓
　　　　　B C E A D

Ⅰ－13　方位

[113]　正答2
　次のような図ができる。友人宅をAの自宅と、花屋からそれぞれ見た方向の交わる点が友人宅である。

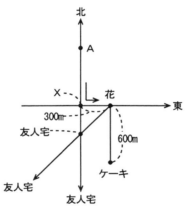

[114]　正答1
　条件どおりに作図すればよい。

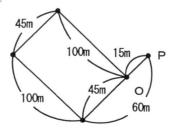

[１１５] 正答4

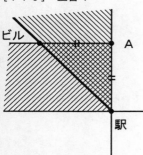

駅を座標の中心において、Aのいる場所、駅のそれぞれから見て、公園のある可能性がある範囲を図示し、それが重なる部分に公園がある。

[１１６] 正答4

最初に歩いた方向がわかっていないので、最初は適当に方向を決めてやり、条件に従って作図する。そして、最後に方向を考える。

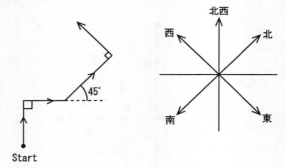

[１１７] 正答1

最初に歩いた方角を適当に決め、条件通りに作図し、最後に方角を決めればよい。

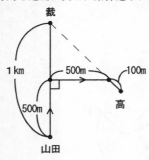

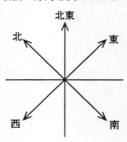

Ⅰ-14　道順

[118]　正答5
　公式より
$$\frac{5!}{3! \cdot 2!} = \frac{5 \cdot 4 \cdot 3 \cdot 2 \cdot 1}{3 \cdot 2 \cdot 1 \cdot 2 \cdot 1} = 10 \text{（通り）}$$

[119]　正答3
　公式より
$$\frac{5!}{3! \cdot 2!} = \frac{5 \cdot 4 \cdot 3 \cdot 2 \cdot 1}{3 \cdot 2 \cdot 1 \cdot 2 \cdot 1} = 10 \text{（通り）}$$

[120]　正答2
　公式より
$$\frac{11!}{6! \cdot 5!} = \frac{11 \cdot 10 \cdot 9 \cdot 8 \cdot 7 \cdot 6 \cdot 5 \cdot 4 \cdot 3 \cdot 2 \cdot 1}{6 \cdot 5 \cdot 4 \cdot 3 \cdot 2 \cdot 1 \cdot 5 \cdot 4 \cdot 3 \cdot 2 \cdot 1} = 462 \text{（通り）}$$

[121]　正答3

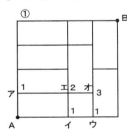

交差点ごとにAから最短距離で行ける道順の数を記入していく。
　図①のア、イ、ウはAから直線で行けるので、それぞれ1通りしかない。
　エはアから1通り、イから1通りくるから、1＋1＝2通りである。
　オはエから2通り、ウから1通りくるから、2＋1＝3通りである。
　以上のような計算をB点まで続けると、図②のようになる。

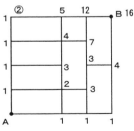

　角ごとに数え上げる。

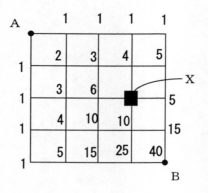

修復前

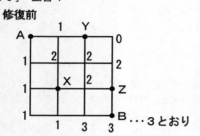

…3とおり

修復後

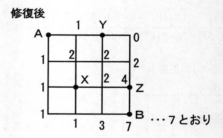

…7とおり

　図①のように記号をつける。そして、樹形図を使い、ありうる道順を考えると、図②のようになる。

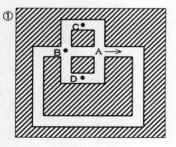

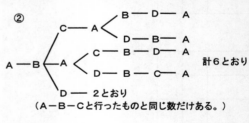

計6とおり

[125]　正答4
　図①のように記号をつけ、図②のような樹形図で考えるとよい。

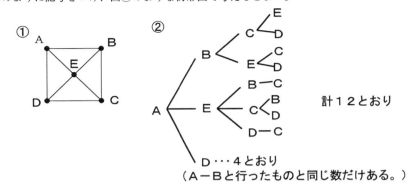

計12とおり

（A－Bと行ったものと同じ数だけある。）

[126]　正答5
　左図のように記号をつけて、行き方を樹形図を用いて考える。

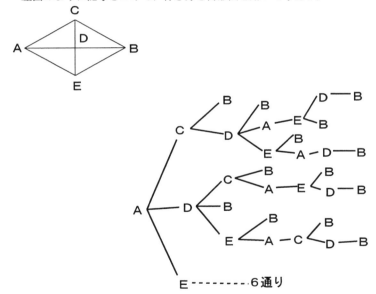

（A→Eにいったものは、A→Cにいったものと同じだけ出てくるはずだから、6通り）

[127] 正答3

歩く速さを分速100mとおいて、1分後、2分後、3分後…にA、Bそれぞれがいる場所を記録して出会った地点を調べるとよい。右図では、Aを普通の数字、Bを〇囲みの数字で書いている。×印の地点で出会うことが分かる。出会うのは2回である。

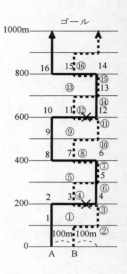

[128] 正答3

交差点と交差点との間を歩くのに1分間かかるとおいて、出発から1分後、2分後、…にいる場所にその数字を書き入れていくとよい。甲の歩いた様子を図①に、乙の歩いた様子を図②に書いている。(実際に解答するときには、甲の方は書き入れるとよいが、乙の方は書かずに数えていけばよい)

図①、②より、最初に出会うのが12分後にdで、2回目に出会うのが29分後にcとなる。

①

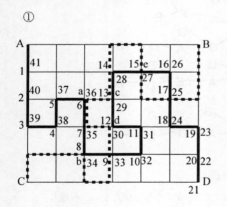

②

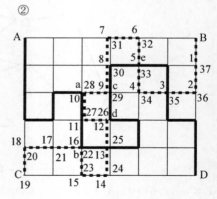

　題意から2カ所の出入り口のいずれかから入って、他方から出て行くことになる。とすると、一方の出入り口から他方の出入り口まで、ある1つの科の前の通路を除き、一筆書きしなさい、ということになる。外への通路を除くと、2カ所の出入り口は3本通路がつながっているから、奇点である。一筆書きできるためには、他の交差点は全て偶点でなければならない。したがって、出入り口以外で奇点になっている交差点を探せば通らなかった通路がわかる。右図のように、眼科の前の通路を通らなければ一筆書きできることがわかる。

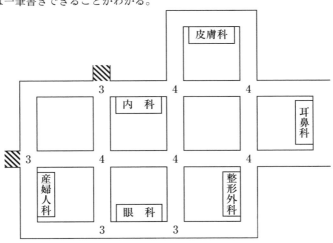

Ⅱ－1　平面図形の分割と構成

[130]　正答2
　　規則性で考えていくとよい。

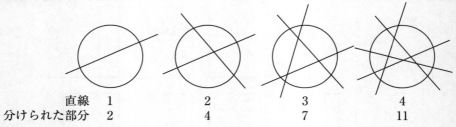

直線　　　　　1　　　　　　　　2　　　　　　　　3　　　　　　　　4
分けられた部分　2　　　　　　　　4　　　　　　　　7　　　　　　　　11

　　上図のようになるから、これより、規則性を考えると右の通り。

　　したがって、20個の部分に分けるには最低6本の直線が必要。

直線　　　　　　1　2　3　4　5　6　7…
分けられた部分　2　4　7　11　16　22　29…
　　　　　　　　　2　3　4　5　6　7

[131]　正答1

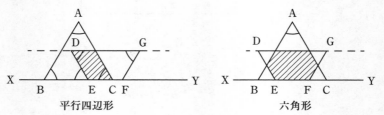

平行四辺形　　　　　　　　　　　　六角形

[132]　正答5
　　図のようになる。

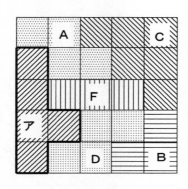

[133] 正答2

右図のように組み合わせればよい。

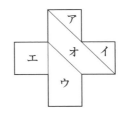

[134] 正答5

下図のように、すべてできる。

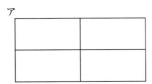 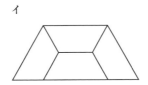

Ⅱ-2 平面図形の個数

[135] 正答3

三角形の大きさ別に数え上げる。

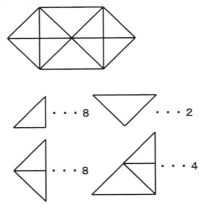

[１３６] 　**正答4**
　正方形の大きさごとに数え上げる。

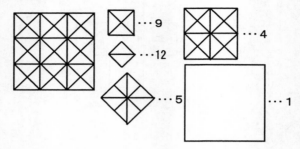

[１３７] 　**正答3**
　大きさごとに数え上げる。

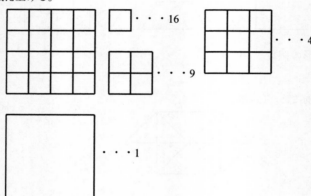

[１３８] 　**正答4**
　長方形の大きさ別に数え上げていく。

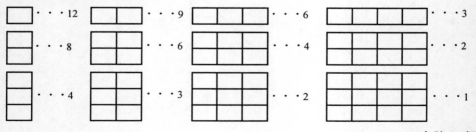

合計 60 個

（別解）

図①のように、縦線、横線それぞれに記号をつける。

長方形は、横線 A ～ D の中から 2 本、縦線ア～オの中から 2 本をそれぞれ選んでできている。

例えば、図②の斜線部は B と C、イとエを選んだときにできる。図③の斜線部は A と B、イとオを選んだときにできる。

このように、すべての長方形は、横 4 本の直線から 2 本、縦 5 本の直線から 2 本をそれぞれ選んでできている。したがって、できる長方形の数は、次の計算の通り。

$$_4C_2 \times _5C_2 = \frac{4 \cdot 3}{2 \cdot 1} \times \frac{5 \cdot 4}{2 \cdot 1} = 60 \text{（通り）}$$

①
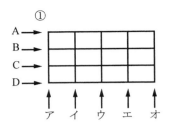

②
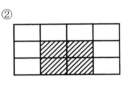

③
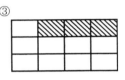

［139］　正答2

①
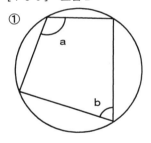

「4 点を通る円」ということは、円に四角形が内接していることになる。

円に内接する四角形の性質は、向かい合った角を加えると、180°になる（図①：$\angle a + \angle b = 180°$）ことである。

その性質を持つものは、正方形、長方形、等脚台形で、それらの数を調べればよいことになる。

②
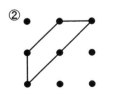

正方形………6 ⎫
長方形………4 ⎬ 計 14
等脚台形……4 ⎭
（図②のような形）

Ⅱ－3　立体図形の分割と構成

[140]　正答1

　図の斜線部の箇所が、2面のみ塗られる立方体である。

　各辺上に2個ずつある。2個を1組と考えると、12組あるので、

　　2（個）× 12（組）＝ 24（個）

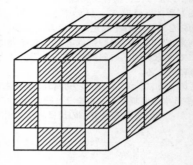

[141]　正答1

　1辺を n 個ずつに分割したとする（図①）と、小立方体の個数は、n^3 個できる。

　$n^3 = 64 = 4^3$　だから、1辺を4等分したことになる。

　2面が黒い小立方体は、図②のような位置にあるから、

　　2 × 12 ＝ 24 個。

　黒い面のない小立方体は、表面に出ていないものである。表面に出ているものを全て取り去った図形を考えればよいから、図③のような部分がそうである。2 × 2 × 2 ＝ 8 個。

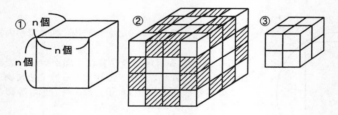

[142]　正答4

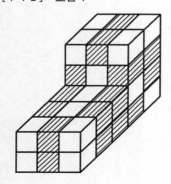

　図のような位置にあるものが2面だけ塗られる。見えない部分に気をつけて、順序よく数える。

　　合計 21 個

[143] 正答2

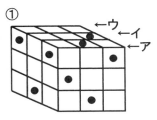

立方体をたてにア〜ウの3枚の「スライス」に切り分けたと考え、それぞれの「スライス」でどのように穴があくかを考えるとよい。(図①)

それぞれの「スライス」で、前後、左右、上下の3方向で、穴のあく箇所を順序よく考えていくと、図②のようになる。図②より、合計17個。

② ア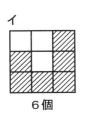　イ　ウ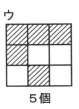

6個　　　　6個　　　　5個

[144] 正答2

次の6種類である。

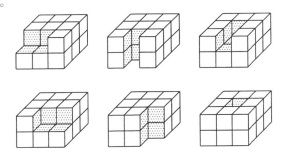

Ⅱ-4 立体の個数

[145] 正答5

ある程度まで、実際に数えて、規則性を考える。

1段目 □　2段目 ⬚　3段目 ⬚　4段目
　　　1　　　　3　　　　6　　　　10

図のようになり、その個数は、

1、3、6、10、…という規則性があることがわかる。
　2　3　4　　これを8段目まで考えると、次のようになる。

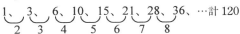

1、3、6、10、15、21、28、36、…計120
　2　3　4　5　6　7　8

①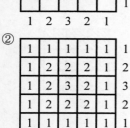

平面図に正面図、側面図から得られた情報を書いて考える。

図①のように、正面図からわかる個数を下に、側面図からわかる個数を右に書く。

最大の場合を図②に示す。

各マスで、たて、よこの数字を照らし合わせ、小さい方の数字を書き入れる。

最大の場合は、図②より、35 個。

最小の場合を図③に示す。

最小の時は、たて、よこの数字がそれぞれ、たて列、よこ列のマスの中で、どこか最低１カ所で使われているように配置すればよい。

この問題では、何通りか考えられる。

最小の個数は図③より、9 個。

したがって、最大と最初との差は、35 − 9 = 26 個

②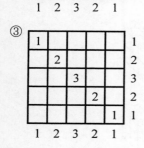

③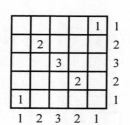

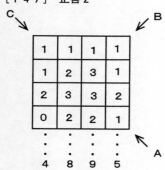

直方体の半分の大きさの立方体を１個と考える。真上から見た図（平面図）で、立方体の数を記入していくと、図のようになる。

立方体の数は 26 個だから、直方体の数はその半数の 13 個。

[148] 正答5

6	6	6	6	6	6	→36
6	6	6	6	6	6	→36
6	6	5	5	3	3	→28
6	6	3	3	1	1	→20

計120

$1 \times 1 \times 1$ の大きさの立方体を1つの単位として、考えるとよい。平面図（真上から見た図）で、立方体が何個積み重なっているかを調べると左図のようになる。合計120個になるが、これは直方体の半分の大きさであるから、直方体は $120 \div 2 = 60$（個）である。

[149] 正答2

平面図を中心に考える。平面図のたて列を左から順にA列、B列、C列とし、よこ列を上から順にア列、イ列、ウ列とする。立面図からA列は3個、B列は1個、C列は3個見え、側面図からア列は3個、イ列は1個、ウ列は2個見える。これらの数字を図①のように書き入れて考えるとよい。

B列は1個しか見えてないから、B列はすべて1個である。同様にイ列もすべて1個である。次にウ列が2個見えているが、B-ウが1個であるから、C-ウが2個である。（図②）

A列は3個見えているが、A-イが1個とわかっているから、A-アは3個である。同様にC列は3個見えているが、C-イ、C-ウが3個ではないので C-アが3個である。

以上より、図③のようになる。

図①

	A	B	C
3 ア			
1 イ			
2 ウ			

A B C
3 1 3

図②

	A	B	C
3 ア		1	
1 イ	1	1	1
2 ウ		1	2

A B C
3 1 3

図③

	A	B	C
3 ア	3	1	3
1 イ	1	1	1
2 ウ		1	2

A B C
3 1 3

Ⅱ－5　立方体の展開図

［150］　正答2

90°の角度の辺どうしは、組み立てたときくっつくから90°回転させて、展開図上でくっつければよい。（例題参照）

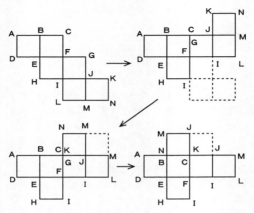

［151］　正答3

90°の角度の辺どうしは組み立てたときくっつくから、90°回転させて、展開図上でくっつければよい。

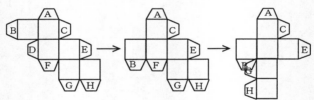

辺Bと辺Gは、90°になるので、重なる。

［152］　正答3

90°の角度がある辺どうしは組み立てたときくっつくので面を回転させていく。

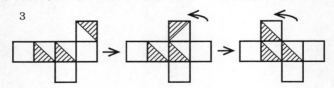

[153] 正答5

　切り取られた部分の展開図は、図①のようになることは容易に分かる。そこで、各選択肢で、切り取られている面を移動させて、くっつけてみて、図①のようになるかどうか調べてみるとよい。

　選択肢5は、図②のように、面を移動することができるから、正しい展開図であることがわかる。

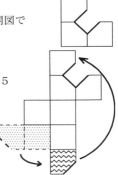

Ⅱ－6　立方体以外の展開図

[154] 正答4

　正八面体は、図①左側のように、A点を中心に4つの面が集まった形が基本になる。それを組み立てると、図①右側のように、底面が開いている正四角すいができる。

　その正四角すい2つをくっつけると、図②のように正八面体ができる。

　したがって、図①左側のような形が2つあるものが、展開図として正しい。

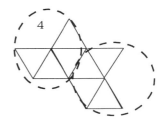

[155] 正答1

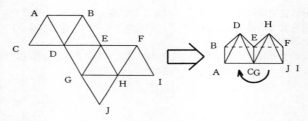

　AB は FI と重なる。

(**別解**) 正八面体では、120°の角どうしはくっつくので、120°回転させて、移動していくとよい。
(例題参照)

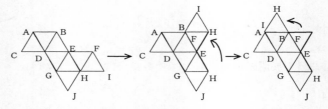

[156] 正答2

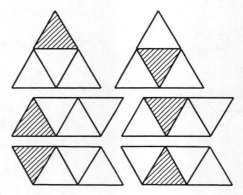

　　　計6種類

[157]　正答3

　図①の右側の矢印を中心にして考える。太線で示している辺を「土台」として考えると、左側の矢印は、「左上から右下」へ向かって伸びていることがわかる。この関係を頭に入れて、選択肢を見ていくとよい。

　選択肢3は、上半分の図形と、下半分の図形に分けて考えたときに、図②で示す「土台」を下として見ると、もう1つの矢印は、いずれも「左上から右下」へ向かって伸びていることがわかる。

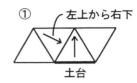

Ⅱ－7　折り紙

[158]　正答1

切り取ったところから、逆に開いていく様子を考えていくとよい。
切り取られた部分は、折り目に対して対称になることに気をつけて作図する。

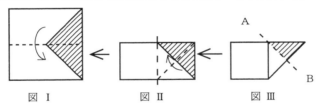

図 Ⅰ　　　　　図 Ⅱ　　　　　図 Ⅲ

[159]　正答1

開いていく様子を順に考えていくとよい。

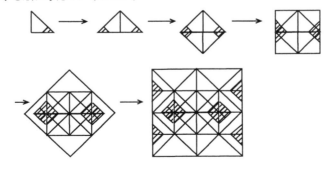

[160] 正答2
　切り取ったところから、逆に開いていった様子を図に描いていく。

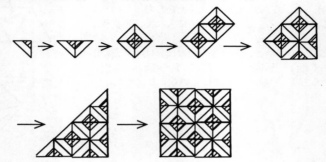

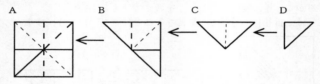

[161]　正答5
　折りたたんだものを、逆に開いていく様子を順に考える。

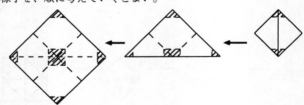

[162]　正答1
　紙を広げていく様子を、順に考えていくとよい。

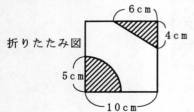

[163]　正答5

折りたたみ図

　選択肢の図形をそれぞれ4等分して、「折りたたみ図」
と同じものがでてくるかどうか調べればよい。
　選択肢5のみが、折りたたみ図と同じ形が現れない。

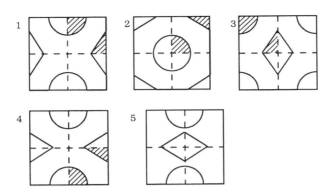

[164]　正答2
　開いていく様子を順に考えると良い。折り目に対して対称に図を描いていくと良い。

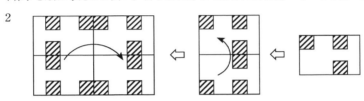

Ⅱ-8　投影図・見取図

[165]　正答4
　各選択肢を左から見た場合をa、右から見た場合をbとしたとき考えられる図を下に示す。

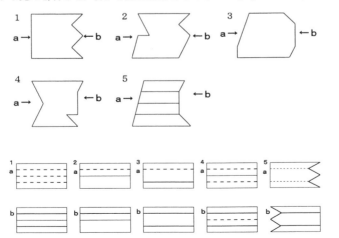

[166] 正答2

図①のような2つの図形をくっつけたような立体である。ただし、辺が2本つながって、1本になるものがあるので、気をつけたい。（図②）

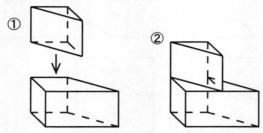

[167] 正答1

a～fまでの見取り図として考えられるものを下に示す。

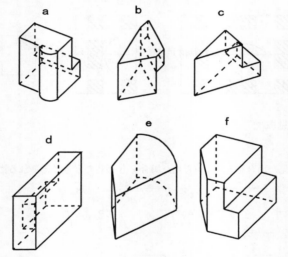

図Ⅲのようになるのは、a、bである。c～fの側面図（左側から見た図）を以下に示す。

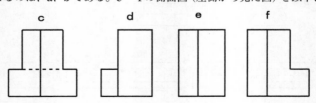

Ⅱ-9　サイコロ

【168】　正答3

4つのサイコロに左から、A、B、C、Dと名前をつける。Dのサイコロより、右手のサイコロとわかる。(例題参照)

Aのサイコロは3が下であるから、右手を「フレミングの右手の法則」の形につくり、親指を手前(1の方向)、中指を下(3の方向)にすると、人差し指が左を向くので、2は左側とわかる。

以上より下図のようになる。

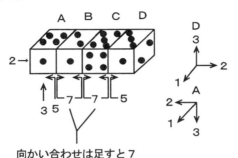

向かい合わせは足すと7

[169]　正答5

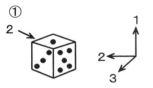

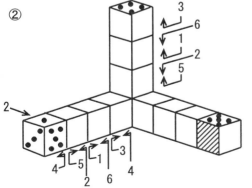

まず、左はしのサイコロに注目すると、右手のサイコロ(例題参照)であることがわかる。(図①)

互いに接する目の和が、3または9であることから、図②のようになる。

これより、見えない角のサイコロの目を考えると図③のように、4、5の目がまずわかり、その向かいの目の3、2の目がわかる。

このサイコロは「右手のサイコロ」(例題参照)であるから、1の目が判明する。

これをもとに、最後まで調べたのが、図④である。

右はしのサイコロの目も「右手のサイコロ」であることから、目が判明する。

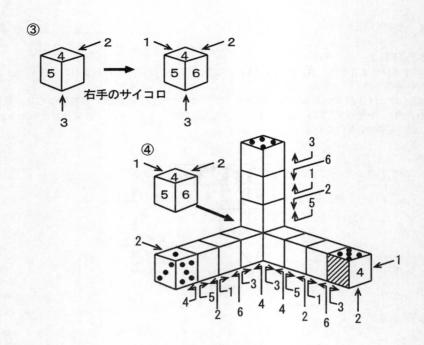

③

右手のサイコロ

④

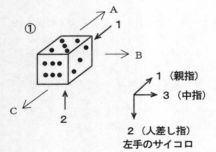

①

A

1

B

C

2

1 (親指)

3 (中指)

2 (人差し指)
左手のサイコロ

図①の目の関係から、「左手のサイコロ」（例題参照）で
あることがわかる。

左手を1、2、3の位置に合わせ、あとは問題どおりに
手を回転させればよい。

まず、A方向に4回回すが、同じ方向に4回回せば、
同じ位置に戻るから、図①と同じである。

次にB方向へ1回転がすと、図②のようになる。

最後にC方向へ2回転がすと、図③のとおり。

中指が上を向くから、3である。

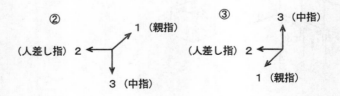

②   ③   3 (中指)

1 (親指)

(人差し指) 2   (人差し指) 2

3 (中指)   1 (親指)

- 74 -

[171]　正答3

　アのサイコロを見ると、4の向かいは3であるから、イと接している面の目は2か5である。もし2であれば、イのサイコロのアと接している面の目との和が9には絶対にならないので、5である。したがって、イで接している面は4とわかる。その向かいは3であるから、ウのサイコロのDの向かいは6である。よって、Dは1とわかる。

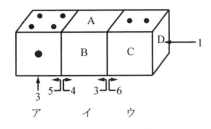

　アのサイコロの目の配置より、右手のサイコロ（例題参照）と分かるから、右手を「フレミングの右手の法則」の形につくり、ウのサイコロの目に合わせて、Cの目を調べる。親指を右（1の方向）、人差し指を上（2の方向）にすると、中指が手前を向くので、Cは3とわかる。

II－10　軌跡

[172]　正答2

　直径の両端をA、Bとおくと、下図のようになる。円弧が底面に接している時は、底面から中心Oまでの距離は一定であるので、Oの軌跡は直線になる。

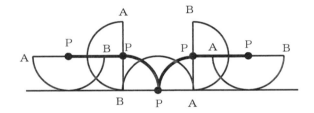

[173]　正答2

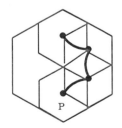

[174] 正答3

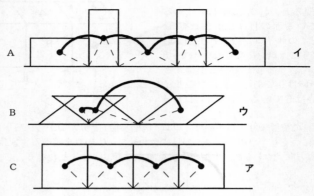

A   イ

B   ウ

C   ア

[175] 正答4

点Cをいろいろな位置にとり、点Pをできるだけ多くとり、それを結んで考える。

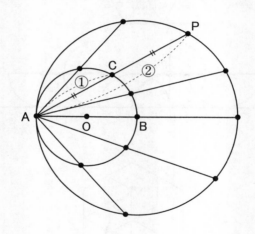

[176] 正答1

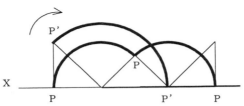

[177] 正答2

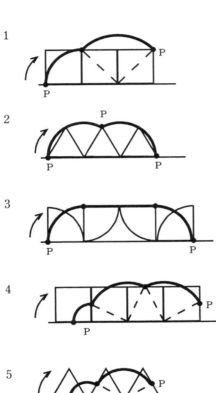

Ⅱ−11 断面図・回転体

[178] 正答4

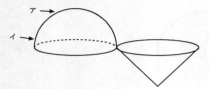

　見取り図は左図のようになる。円すいは高さの変化が一様であるから、等高線の間隔は等しくなければならない。半球はアのような部分では高さの変化は少ないから、等高線の間隔は広くなる。また、イのように下の方の部分では、高さの変化が大きいから、等高線の間隔は狭くなる。したがって、選択肢4が正しい。

[179] 正答4

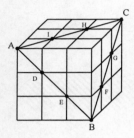

　左図のようにA、B、Cを結ぶと正三角形になるので、その3点を通る切断面も正三角形になる。

　切断面において、小立方体の境目が、どのように入るのかが、分かればよいわけである。

　そこで、D〜Ｉの点を左図のようにとると、小立方体の境目は、DI、EH、EF、DG、GH、FIをそれぞれ結んだ直線になるはずだから、下図のようになる。

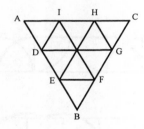

[180] 正答3

　回転軸について、線対称になるように各図形を描くとよい。そうすると、条件のようにしてできた立体を、回転軸を含む平面で切ったときの断面図に等しくなるからである。

　選択肢3は、図のようになり、立体の回転軸を含む平面で切ったときの断面図に等しい。

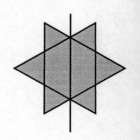

[181] 正答1

図①のように正四面体の一つの辺を軸として回転させると、図②のような立体になる。その軸に
垂直な方向から見たものは図③のようになる。

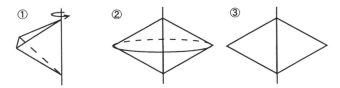

① ② ③

[182] 正答4

立方体の中点を通るように切ると、右図のように
断面は正六角形になる。いきなり考えても分からな
いので、覚えておくとよい。∠ABC は正六角形の
一つの内角であるから、120 度である。

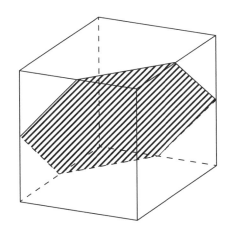

下記のサイトに、追補、情報の更新および訂正を掲載しております。
http://koumuin.info/book/shusei.html

いいずな書店